힘이 붙는 수학

연산

초등 **2B**

단계별 학습 내용

1 초1 수준

A	B
1단계 9까지의 수	1단계 100까지의 수
2단계 9까지의 수를 모으기, 가르기	2단계 덧셈과 뺄셈(1)
3단계 덧셈과 뺄셈	3단계 덧셈과 뺄셈(2)
4단계 50까지의 수	4단계 덧셈과 뺄셈(3)

2 초2 수준

A	B
1단계 세 자리 수	1단계 네 자리 수
2단계 덧셈과 뺄셈	2단계 곱셈구구
3단계 덧셈과 뺄셈의 관계	3단계 길이의 계산
4단계 세 수의 덧셈과 뺄셈	4단계 시각과 시간
5단계 곱셈	

3 초3 수준

A	B
1단계 덧셈과 뺄셈	1단계 곱셈
2단계 나눗셈	2단계 나눗셈
3단계 곱셈	3단계 분수
4단계 길이와 시간	4단계 들이
5단계 분수와 소수	5단계 무게

🐙 전체 학습 설계도를 보고 초등 수학의 과정을 알 수 있습니다.

이렇게 공부해 봐

1 개념 정리

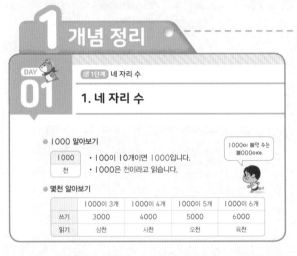

개념 정리 내용을 확인하며 계산 원리를 충분히 이해해요.

2 연산 학습

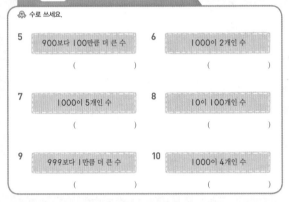

다양한 유형의 연산 문제를 통해 연산력을 강화해요. 매일 연산 학습을 반복하면 더 효과적으로 학습할 수 있어요.

3 생활 속 연산

10 1000이 2개
100이 8개
10이 9개
1이 7개
이면 □

11 1000이 4개
100이 3개
10이 2개
1이 6개
이면 □

생활 속 연산

유라는 편의점에서 과자 한 봉지를 사면서 천 원짜리 지폐 2장, 백 원짜리 동전 5개, 십 원짜리 동전 8개를 냈습니다. 유라가 낸 돈은 모두 얼마인지 구하세요.

( )원

다양한 실생활 속 상황에서 연산력을 키워 문제를 해결해요.

4 마무리 연산

DAY 11 ☑1단계 네 자리 수

마무리 연산

수를 뛰어서 센 것입니다. 빈 곳에 알맞은 수를 써넣으세요.

1 1234 - 1334 - 1434 - 1534 - □ - □ - □ - □

2 2856 - 2866 - 2876 - 2886 - □ - □ - □

3 1438 - 2438 - □ - □ - 7438 - 8438

연산 학습을 잘했는지 문제를 풀어 보며 확인해요.

Contents 차례

1

네 자리 수

꾸준하게 풀면 어느새
연산 실력이 엄청 향상되어
있을 거얌

학습 결과와 시간을 써 보세요!

학습 내용	학습 회차	맞힌 개수/걸린 시간
1. 네 자리 수	DAY 01	/
	DAY 02	/
2. 각 자리의 숫자	DAY 03	/
	DAY 04	/
3. 뛰어서 세기	DAY 05	/
	DAY 06	/
4. 수의 크기 비교	DAY 07	/
	DAY 08	/
	DAY 09	/
마무리 연산	DAY 10	/
	DAY 11	/

⊙ 1단계 네 자리 수

1. 네 자리 수

● **1000 알아보기**

1000
천

· 100이 10개이면 1000입니다.
· 1000은 천이라고 읽습니다.

1000이 ■개인 수는
■000이야.

● **몇천 알아보기**

	1000이 3개	1000이 4개	1000이 5개	1000이 6개
쓰기	3000	4000	5000	6000
읽기	삼천	사천	오천	육천

🐙 수 모형을 보고 ☐ 안에 알맞은 수를 써넣으세요.

1

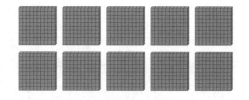

100이 │10│ 개이면

│1000│ 입니다.

2

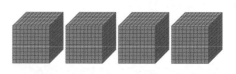

1000이 ☐ 개이면

☐ 입니다.

3

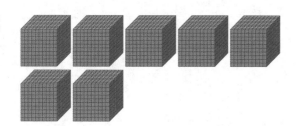

1000이 ☐ 개이면

☐ 입니다.

4

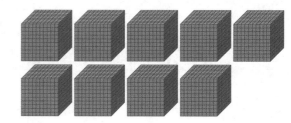

1000이 ☐ 개이면

☐ 입니다.

🐙 수로 쓰세요.

5 900보다 100만큼 더 큰 수

( )

6 1000이 2개인 수

( )

7 1000이 5개인 수

( )

8 10이 100개인 수

( )

9 999보다 1만큼 더 큰 수

( )

10 1000이 4개인 수

( )

11 1000이 8개인 수

( )

12 1000이 6개인 수

( )

13 1000이 3개인 수

( )

14 990보다 10만큼 더 큰 수

( )

15 1000이 7개인 수

( )

16 1000이 9개인 수

( )

1단계 네 자리 수

1. 네 자리 수

예 2346 알아보기

1000이 2개 ⎤
100이 3개 ⎟
10이 4개 ⎟ 이면 2346 (이천삼백사십육)
1이 6개 ⎦

자리의 숫자가 0이면 숫자와
자릿값을 모두 읽지 않아.
예 3006 ➜ 삼천육

수 모형을 보고 ☐ 안에 알맞은 수를 써넣으세요.

1

| 1000이 ☐ 개 | 100이 ☐ 개 | 10이 ☐ 개 | 1이 ☐ 개 |

➜ ☐

2

| 1000이 ☐ 개 | 100이 ☐ 개 | 10이 ☐ 개 | 1이 ☐ 개 |

➜ ☐

3

| 1000이 ☐ 개 | 10이 ☐ 개 | 1이 ☐ 개 |

➜ ☐

🐙 ☐ 안에 알맞은 수를 써넣으세요.

4 1000이 3개 ┐
　　 100이 4개 │
　　 10이 7개 │ 이면 ☐
　　 1이 2개 ┘

5 1000이 1개 ┐
　　 100이 6개 │
　　 10이 3개 │ 이면 ☐
　　 1이 8개 ┘

6 1000이 2개 ┐
　　 100이 5개 │
　　 10이 8개 │ 이면 ☐
　　 1이 9개 ┘

7 1000이 5개 ┐
　　 100이 1개 │
　　 10이 6개 │ 이면 ☐
　　 1이 3개 ┘

8 1000이 6개 ┐
　　 100이 7개 │
　　 10이 5개 │ 이면 ☐
　　 1이 4개 ┘

9 1000이 8개 ┐
　　 100이 6개 │
　　 10이 4개 │ 이면 ☐
　　 1이 3개 ┘

10 1000이 2개 ┐
　　 100이 8개 │
　　 10이 9개 │ 이면 ☐
　　 1이 7개 ┘

11 1000이 4개 ┐
　　 100이 3개 │
　　 10이 2개 │ 이면 ☐
　　 1이 6개 ┘

💡 **생활 속 연산**

유라는 편의점에서 과자 한 봉지를 사면서 천 원짜리 지폐 2장, 백 원짜리 동전 5개, 십 원짜리 동전 8개를 냈습니다. 유라가 낸 돈은 모두 얼마인지 구하세요.

(　　　　　　)원

1단계 네 자리 수

2. 각 자리의 숫자

예 **4872의 자릿값 알아보기**

천의 자리	백의 자리	십의 자리	일의 자리
4	8	7	2

4	0	0	0
	8	0	0
		7	0
			2

4는 천의 자리 숫자이고, 4000을 나타냅니다.

8은 백의 자리 숫자이고, 800을 나타냅니다.

7은 십의 자리 숫자이고, 70을 나타냅니다.

2는 일의 자리 숫자이고, 2를 나타냅니다.

$$4872 = 4000 + 800 + 70 + 2$$

빈칸에 알맞은 수를 써넣으세요.

1

2854

천의 자리	백의 자리	십의 자리	일의 자리
2	8	5	4

2	0	0	0

2

6379

천의 자리	백의 자리	십의 자리	일의 자리
6	3	7	9

🐙 빈칸에 알맞은 수를 써넣으세요.

3   3175 ➡

천의 자리	백의 자리	십의 자리	일의 자리
3	1		

$3175 = 3000 + 100 + \boxed{} + \boxed{}$

4   5921 ➡

천의 자리	백의 자리	십의 자리	일의 자리

$5921 = \boxed{} + \boxed{} + \boxed{} + \boxed{}$

5   6289 ➡

천의 자리	백의 자리	십의 자리	일의 자리

$6289 = \boxed{} + \boxed{} + \boxed{} + \boxed{}$

6   7403 ➡

천의 자리	백의 자리	십의 자리	일의 자리

$7403 = \boxed{} + \boxed{} + \boxed{}$

7   9052 ➡

천의 자리	백의 자리	십의 자리	일의 자리

$9052 = \boxed{} + \boxed{} + \boxed{}$

1단계 네 자리 수

2. 각 자리의 숫자

🐙 밑줄 친 숫자가 나타내는 값을 쓰세요.

1 2<u>3</u>78

( )

2 <u>5</u>284

( )

3 16<u>9</u>3

( )

4 <u>3</u>726

( )

5 4<u>8</u>61

( )

6 2<u>5</u>89

( )

7 <u>7</u>104

( )

8 54<u>8</u>0

( )

9 658<u>4</u>

( )

10 8<u>2</u>16

( )

11 903<u>5</u>

( )

12 <u>6</u>583

( )

🐙 조건에 맞는 수를 찾아 ○표 하세요.

13

숫자 2가 2000을 나타내는 수		
2450	5620	4205

14

숫자 4가 40을 나타내는 수		
4563	8426	1745

15

숫자 6이 600을 나타내는 수		
3867	6785	5649

16

숫자 8이 8000을 나타내는 수		
7869	8543	3618

17

숫자 1이 10을 나타내는 수		
3198	6215	8021

18

숫자 7이 700을 나타내는 수		
6753	7495	4571

19

숫자 3이 3000을 나타내는 수		
4358	5983	3179

20

숫자 9가 9를 나타내는 수		
2985	4389	7594

💡 **생활 속 연산**

어느 주차장에 서 있는 차의 차량 번호입니다. 숫자 8이 나타내는 값이 가장 큰 수를 찾아 ○표 하세요.

(　　　　)　　(　　　　)　　(　　　　)

3. 뛰어서 세기

● 1000씩 뛰어서 세기   천의 자리 수가 1씩 커져.

| 2300 | 3300 | 4300 | 5300 | 6300 |

● 100씩 뛰어서 세기   백의 자리 수가 1씩 커져.

| 4180 | 4280 | 4380 | 4480 | 4580 |

10씩 뛰어서 세면 십의 자리 수가 1씩 커지고, 1씩 뛰어서 세면 일의 자리 수가 1씩 커져!

🐙 뛰어서 세어 보세요.

1   1000씩 뛰어서 세기

| 1740 | 2740 | 3740 | | | | |

2   100씩 뛰어서 세기

| 5439 | 5539 | 5639 | | | | |

3   10씩 뛰어서 세기

| 3755 | 3765 | 3775 | | | | |

4   1씩 뛰어서 세기

| 6043 | 6044 | 6045 | | | | |

🐙 수를 뛰어서 센 것입니다. 빈 곳에 알맞은 수를 써넣으세요.

5

1975 | 2975 | 3975 | | | |

6

2643 | 3643 | 4643 | | | |

7

5618 | 5718 | 5818 | | | |

8

8355 | 8455 | 8555 | | | |

9

7406 | 7416 | 7426 | | | |

10

6372 | 6382 | 6392 | | | |

11

3674 | 3675 | 3676 | | | |

12

9485 | 9486 | 9487 | | | |

3. 뛰어서 세기

🐙 몇씩 뛰어서 센 것인지 알아보세요.

1 2574 — 3574 — 4574 — 5574

➡ ☐ 씩

천의 자리 수가 1씩
커지고 있어.

2 4839 — 4849 — 4859 — 4869

➡ ☐ 씩

3 7213 — 7313 — 7413 — 7513

➡ ☐ 씩

4 5278 — 5279 — 5280 — 5281

➡ ☐ 씩

5 3325 — 4325 — 5325 — 6325

➡ ☐ 씩

6 6842 — 6942 — 7042 — 7142

➡ ☐ 씩

7 2704 — 3704 — 4704 — 5704

➡ ☐ 씩

8 8152 — 8157 — 8162 — 8167

➡ ☐ 씩

9 6464 — 6514 — 6564 — 6614

➡ ☐ 씩

10 7481 — 7491 — 7501 — 7511

➡ ☐ 씩

11 4365 — 4366 — 4367 — 4368

➡ ☐ 씩

12 3667 — 4167 — 4667 — 5167

➡ ☐ 씩

수를 뛰어서 센 것입니다. 빈 곳에 알맞은 수를 써넣으세요.

13

4365 - 4366 - 4367 - 4368 - ( ) - ( ) - ( ) - ( )

14

2614 - 2714 - 2814 - ( ) - ( ) - 3114 - ( ) - ( )

15

5142 - 5152 - ( ) - ( ) - ( ) - ( ) - 5202 - 5212

16

2276 - ( ) - ( ) - 5276 - 6276 - ( ) - ( ) - 9276

17

6550 - 6600 - 6650 - ( ) - ( ) - ( ) - 6850 - ( )

18

9413 - 9418 - ( ) - ( ) - 9433 - 9438 - ( ) - ( )

생활 속 연산

윤우가 7월 1일에 저금을 하고 통장을 보니 잔액이 2730원이었습니다. 매달 1일에 1000원씩 계속 저금한다면 12월 1일에는 얼마가 되는지 구하세요.

(   )원

날짜	맡기신 금액	찾으신 금액	남은 금액
7월 1일	1000원	﹨	2730원
8월 1일	1000원	﹨	
9월 1일	1000원	﹨	
10월 1일	1000원	﹨	
11월 1일	1000원	﹨	
12월 1일	1000원	﹨	?

1단계 네 자리 수

4. 수의 크기 비교

● **두 수의 크기 비교**

네 자리 수는 천의 자리 숫자, 백의 자리 숫자, 십의 자리 숫자, 일의 자리 숫자끼리 차례로 비교합니다.

예 2457 (<) 5169   2457 (>) 2169   2457 (<) 2459
    └─2<5─┘   └─4>1─┘   └─7<9─┘

🐙 빈칸에 알맞은 수를 써넣고, 두 수의 크기를 비교하여 ○ 안에 >, <를 알맞게 써넣으세요.

1

	천의 자리	백의 자리	십의 자리	일의 자리
2457	2	4		
1169	1	1		

2457 ( ) 1169

2

	천의 자리	백의 자리	십의 자리	일의 자리
3628				
3790				

3628 ( ) 3790

3

	천의 자리	백의 자리	십의 자리	일의 자리
5738				
5729				

5738 ( ) 5729

4

	천의 자리	백의 자리	십의 자리	일의 자리
7531				
7536				

7531 ( ) 7536

5

	천의 자리	백의 자리	십의 자리	일의 자리
6384				
8023				

6384 ( ) 8023

6

	천의 자리	백의 자리	십의 자리	일의 자리
8918				
8941				

8918 ( ) 8941

두 수의 크기를 비교하여 ○ 안에 >, <를 알맞게 써넣으세요.

7   3400 ◯ 2900   **8**   5810 ◯ 5760

9   2845 ◯ 2846   **10** 7268 ◯ 7264

11 8465 ◯ 8723   **12** 1764 ◯ 2000

13 6582 ◯ 6599   **14** 8254 ◯ 8406

15 4685 ◯ 7285   **16** 6356 ◯ 6295

17 2648 ◯ 2671   **18** 4652 ◯ 4680

19 8411 ◯ 7899   **20** 6217 ◯ 6219

21 9457 ◯ 9453   **22** 9278 ◯ 9276

4. 수의 크기 비교

🐙 빈칸에 알맞은 수를 써넣고, 가장 큰 수와 가장 작은 수를 찾아 쓰세요.

1

	천의 자리	백의 자리	십의 자리	일의 자리
4248	4	2		
2157	2	1		
5245	5	2		

가장 큰 수: ☐

가장 작은 수: ☐

2

천의 자리 수가 같으면 백의 자리 수를 비교해.

	천의 자리	백의 자리	십의 자리	일의 자리
2749				
2745				
2493				

가장 큰 수: ☐

가장 작은 수: ☐

3

	천의 자리	백의 자리	십의 자리	일의 자리
4356				
5238				
4378				

가장 큰 수: ☐

가장 작은 수: ☐

4

천의 자리, 백의 자리 수가 같으면 십의 자리 수를 비교해.

	천의 자리	백의 자리	십의 자리	일의 자리
6267				
6239				
6272				

가장 큰 수: ☐

가장 작은 수: ☐

5

	천의 자리	백의 자리	십의 자리	일의 자리
8427				
8163				
8451				

가장 큰 수: ☐

가장 작은 수: ☐

6

	천의 자리	백의 자리	십의 자리	일의 자리
7823				
5248				
5270				

가장 큰 수: ☐

가장 작은 수: ☐

🐙 가장 큰 수에 ○표, 가장 작은 수에 △표 하세요.

7 　2000　　4000　　6000

8 　3647　　2864　　7015

9 　5246　　5428　　5381

10 　7482　　7469　　7463

11 　1763　　1765　　1768

12 　2528　　5100　　2530

13 　5725　　4893　　5729

14 　7243　　7354　　9134

15 　6524　　6527　　6612

16 　8637　　4678　　7072

17 　4782　　4099　　4754

18 　7824　　7468　　7457

19 　5721　　6254　　4997

20 　4632　　4438　　4427

21 　9264　　8753　　8756

22 　2567　　1987　　2569

◎ 1단계 네 자리 수

4. 수의 크기 비교

🐙 두 수의 크기를 비교하여 더 작은 수를 빈 곳에 쓰세요.

1
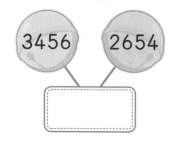

2
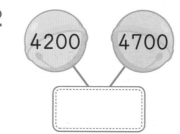

3
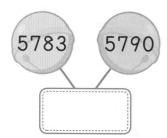

4
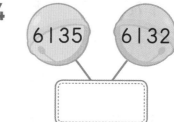

5
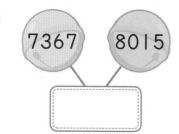

6
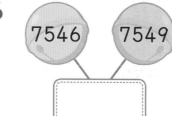

7
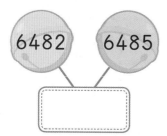

8
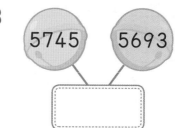

9
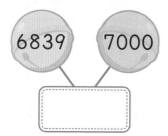

10
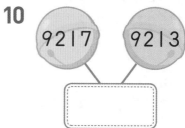

🐙 수의 크기를 비교하여 큰 수부터 차례로 쓰세요.

11
| 4000 | 8000 | 5000 |

▭ > ▭ > ▭

12
| 7800 | 7900 | 7300 |

▭ > ▭ > ▭

13
| 3834 | 3849 | 3824 |

▭ > ▭ > ▭

14
| 5247 | 5275 | 5305 |

▭ > ▭ > ▭

15
| 4820 | 5135 | 4824 |

▭ > ▭ > ▭

16
| 6792 | 7325 | 7330 |

▭ > ▭ > ▭

17
| 7832 | 7837 | 6999 |

▭ > ▭ > ▭

18
| 8329 | 8345 | 9132 |

▭ > ▭ > ▭

💡 생활 속 연산

민지가 가게에서 산 간식입니다. 다음 간식 중 가장 비싼 것을 찾아 쓰세요.

 아이스크림
2480원

 과자
2990원

 주스
3510원

(   )

1단계 네 자리 수

마무리 연산

🐙 ☐ 안에 알맞은 수를 써넣으세요.

1 1000이 2개
　　100이 6개
　　10이 4개 이면 ☐
　　1이 8개

2 1000이 1개
　　100이 7개
　　10이 3개 이면 ☐
　　1이 5개

3 1000이 6개
　　100이 8개
　　10이 9개 이면 ☐
　　1이 1개

4 1000이 7개
　　100이 0개
　　10이 2개 이면 ☐
　　1이 5개

5 1000이 5개
　　100이 7개
　　10이 8개 이면 ☐
　　1이 0개

6 1000이 6개
　　100이 3개
　　10이 9개 이면 ☐
　　1이 3개

7 1000이 7개
　　100이 7개
　　10이 4개 이면 ☐
　　1이 1개

8 1000이 9개
　　100이 3개
　　10이 0개 이면 ☐
　　1이 8개

9 1000이 6개
　　100이 5개
　　10이 2개 이면 ☐
　　1이 6개

10 1000이 4개
　　100이 8개
　　10이 2개 이면 ☐
　　1이 9개

🐙 밑줄 친 숫자가 나타내는 값을 쓰세요.

11   <u>1</u>729

(   )

12   7<u>3</u>69

(   )

13   53<u>2</u>8

(   )

14   627<u>8</u>

(   )

15   4<u>6</u>89

(   )

16   57<u>4</u>1

(   )

17   <u>3</u>579

(   )

18   86<u>7</u>3

(   )

19   47<u>0</u>1

(   )

20   389<u>2</u>

(   )

21   <u>9</u>784

(   )

22   61<u>4</u>5

(   )

🎯 1단계 네 자리 수

마무리 연산

🐙 수를 뛰어서 센 것입니다. 빈 곳에 알맞은 수를 써넣으세요.

1 1234 — 1334 — 1434 — 1534 — ☐ — ☐ — ☐ — ☐

2 2856 — 2866 — 2876 — 2886 — ☐ — ☐ — ☐ — ☐

3 1438 — 2438 — ☐ — ☐ — ☐ — ☐ — 7438 — 8438

4 5650 — ☐ — ☐ — 5800 — 5850 — ☐ — ☐ — 6000

5 7869 — 7969 — ☐ — ☐ — ☐ — 8369 — 8469 — ☐

6 3627 — 3637 — 3647 — ☐ — ☐ — 3677 — ☐

7 6421 — 6921 — ☐ — ☐ — 8421 — 8921 — ☐ — ☐

8 8327 — ☐ — ☐ — 8342 — 8347 — ☐ — ☐ — 8362

🐙 두 수의 크기를 비교하여 ◯ 안에 >, <를 알맞게 써넣으세요.

9 4100 ◯ 5000

10 3560 ◯ 3400

11 7465 ◯ 7462

12 2785 ◯ 2781

13 8256 ◯ 8706

14 6349 ◯ 8012

15 5732 ◯ 5770

16 1987 ◯ 2021

17 4842 ◯ 4399

18 9245 ◯ 9239

19 6724 ◯ 6727

20 5487 ◯ 5587

21 4780 ◯ 2370

22 2654 ◯ 1996

23 8345 ◯ 8347

24 6467 ◯ 6866

2

곱셈구구

실수하지 않는 유일한 방법은
연습뿐이얏!

학습 결과와 시간을 써 보세요!

학습 내용	학습 회차	맞힌 개수/걸린 시간
1. 2단, 5단 곱셈구구	DAY 01	/
	DAY 02	/
	DAY 03	/
	DAY 04	/
2. 3단, 6단 곱셈구구	DAY 05	/
	DAY 06	/
	DAY 07	/
	DAY 08	/
3. 4단, 8단 곱셈구구	DAY 09	/
	DAY 10	/
	DAY 11	/
	DAY 12	/
4. 7단, 9단 곱셈구구	DAY 13	/
	DAY 14	/
	DAY 15	/
	DAY 16	/
5. 1단 곱셈구구, 0의 곱	DAY 17	/
	DAY 18	/
6. 곱셈표	DAY 19	/
	DAY 20	/
	DAY 21	/
마무리 연산	DAY 22	/
	DAY 23	/

2단계 곱셈구구

1. 2단, 5단 곱셈구구

● 2단 곱셈구구

×	1	2	3	4	5	6	7	8	9
2	2	4	6	8	10	12	14	16	18

2단 곱셈구구는 2씩 커져!

+2 +2 +2 +2 +2 +2 +2 +2

➡ 2단 곱셈구구에서 곱하는 수가 1씩 커지면 곱은 2씩 커집니다.

🐙 그림을 보고 ☐ 안에 알맞은 수를 써넣으세요.

1
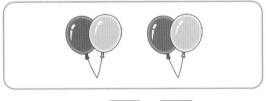

$2 \times \boxed{2} = \boxed{4}$

2
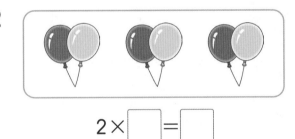

$2 \times \boxed{} = \boxed{}$

3
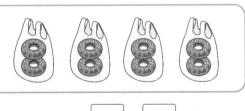

$2 \times \boxed{} = \boxed{}$

4
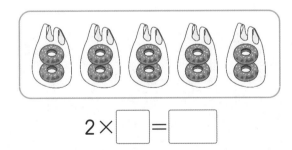

$2 \times \boxed{} = \boxed{}$

5
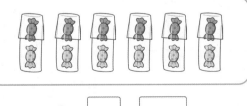

$2 \times \boxed{} = \boxed{}$

6
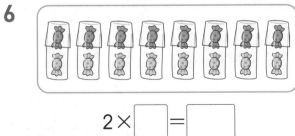

$2 \times \boxed{} = \boxed{}$

🐙 □ 안에 알맞은 수를 써넣으세요.

7 $2 \times 1 = \boxed{}$

8 $2 \times \boxed{} = 8$

9 $2 \times 4 = \boxed{}$

10 $2 \times \boxed{} = 4$

11 $2 \times 7 = \boxed{}$

12 $2 \times \boxed{} = 6$

13 $2 \times 5 = \boxed{}$

14 $2 \times \boxed{} = 16$

15 $2 \times 3 = \boxed{}$

16 $2 \times \boxed{} = 12$

17 $2 \times 2 = \boxed{}$

18 $2 \times \boxed{} = 2$

19 $2 \times 6 = \boxed{}$

20 $2 \times \boxed{} = 18$

21 $2 \times 9 = \boxed{}$

22 $2 \times \boxed{} = 10$

23 $2 \times 8 = \boxed{}$

24 $2 \times \boxed{} = 14$

◎ 2단계 곱셈구구

1. 2단, 5단 곱셈구구

● 5단 곱셈구구

×	1	2	3	4	5	6	7	8	9
5	5	10	15	20	25	30	35	40	45

5단 곱셈구구는 5씩 커져!

+5 +5 +5 +5 +5 +5 +5 +5

➡ 5단 곱셈구구에서 곱하는 수가 1씩 커지면 곱은 5씩 커집니다.

🐙 그림을 보고 □ 안에 알맞은 수를 써넣으세요.

1

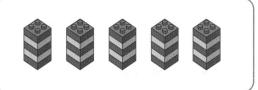

$5 \times \boxed{2} = \boxed{10}$

2

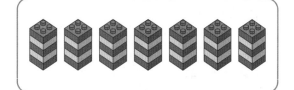

$5 \times \boxed{} = \boxed{}$

3

$5 \times \boxed{} = \boxed{}$

4

$5 \times \boxed{} = \boxed{}$

5

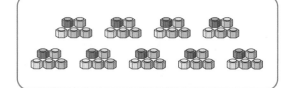

$5 \times \boxed{} = \boxed{}$

6

$5 \times \boxed{} = \boxed{}$

🐙 ☐ 안에 알맞은 수를 써넣으세요.

7 $5 \times 1 = $ ☐

8 $5 \times $ ☐ $= 20$

9 $5 \times 3 = $ ☐

10 $5 \times $ ☐ $= 25$

11 $5 \times 6 = $ ☐

12 $5 \times $ ☐ $= 30$

13 $5 \times 5 = $ ☐

14 $5 \times $ ☐ $= 15$

15 $5 \times 7 = $ ☐

16 $5 \times $ ☐ $= 45$

17 $5 \times 8 = $ ☐

18 $5 \times $ ☐ $= 10$

19 $5 \times 2 = $ ☐

20 $5 \times $ ☐ $= 35$

21 $5 \times 9 = $ ☐

22 $5 \times $ ☐ $= 5$

23 $5 \times 4 = $ ☐

24 $5 \times $ ☐ $= 40$

2단계 곱셈구구

1. 2단, 5단 곱셈구구

□ 안에 알맞은 수를 써넣으세요.

1 $2 \times 2 = \boxed{}$

2 $5 \times 4 = \boxed{}$

3 $2 \times 5 = \boxed{}$

4 $5 \times 6 = \boxed{}$

5 $2 \times 3 = \boxed{}$

6 $5 \times 7 = \boxed{}$

7 $2 \times 1 = \boxed{}$

8 $5 \times 1 = \boxed{}$

9 $2 \times 4 = \boxed{}$

10 $5 \times 3 = \boxed{}$

11 $2 \times 6 = \boxed{}$

12 $5 \times 9 = \boxed{}$

13 $2 \times 7 = \boxed{}$

14 $5 \times 5 = \boxed{}$

15 $2 \times 9 = \boxed{}$

16 $5 \times 2 = \boxed{}$

17 $2 \times 8 = \boxed{}$

18 $5 \times 8 = \boxed{}$

🐙 빈 곳에 두 수의 곱을 써넣으세요.

19

20

21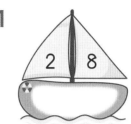

22

23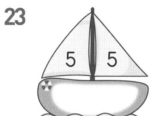

24

25

26

27

28

29

30

🎯 2단계 곱셈구구

1. 2단, 5단 곱셈구구

🐙 ☐ 안에 알맞은 수를 써넣으세요.

1 $2 \times \boxed{} = 6$

2 $5 \times \boxed{} = 20$

3 $2 \times \boxed{} = 10$

4 $5 \times \boxed{} = 10$

5 $2 \times \boxed{} = 18$

6 $5 \times \boxed{} = 5$

7 $2 \times \boxed{} = 2$

8 $5 \times \boxed{} = 30$

9 $2 \times \boxed{} = 12$

10 $5 \times \boxed{} = 45$

11 $2 \times \boxed{} = 8$

12 $5 \times \boxed{} = 40$

13 $2 \times \boxed{} = 14$

14 $5 \times \boxed{} = 35$

15 $2 \times \boxed{} = 4$

16 $5 \times \boxed{} = 15$

17 $2 \times \boxed{} = 16$

18 $5 \times \boxed{} = 25$

🐙 ☐ 안에 알맞은 수를 써넣으세요.

19
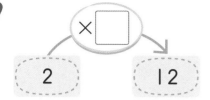

20
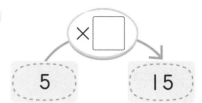

21
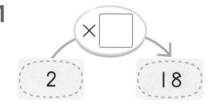

22
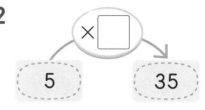

23
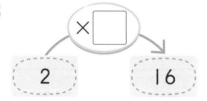

24
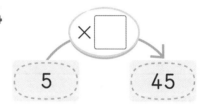

25
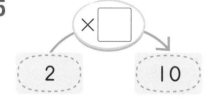

26
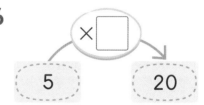

💡 생활 속 연산

두발자전거의 바퀴는 2개입니다. 공원에 있는 두발자전거 6대의 바퀴는 모두 몇 개인지 구하세요.

$2 \times \boxed{} = \boxed{}$ (개)

◎ 2단계 곱셈구구

2. 3단, 6단 곱셈구구

● 3단 곱셈구구

×	1	2	3	4	5	6	7	8	9
3	3	6	9	12	15	18	21	24	27

3단 곱셈구구는 3씩 커져!

+3 +3 +3 +3 +3 +3 +3 +3

➡ 3단 곱셈구구에서 곱하는 수가 1씩 커지면 곱은 3씩 커집니다.

그림을 보고 ☐ 안에 알맞은 수를 써넣으세요.

1

$3 \times \boxed{2} = \boxed{6}$

2

$3 \times \boxed{} = \boxed{}$

3

$3 \times \boxed{} = \boxed{}$

4

$3 \times \boxed{} = \boxed{}$

5

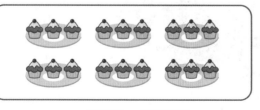

$3 \times \boxed{} = \boxed{}$

6

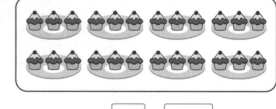

$3 \times \boxed{} = \boxed{}$

🐙 ☐ 안에 알맞은 수를 써넣으세요.

7 $3 \times 1 = \boxed{}$

8 $3 \times \boxed{} = 9$

9 $3 \times 4 = \boxed{}$

10 $3 \times \boxed{} = 15$

11 $3 \times 3 = \boxed{}$

12 $3 \times \boxed{} = 3$

13 $3 \times 5 = \boxed{}$

14 $3 \times \boxed{} = 18$

15 $3 \times 7 = \boxed{}$

16 $3 \times \boxed{} = 12$

17 $3 \times 2 = \boxed{}$

18 $3 \times \boxed{} = 27$

19 $3 \times 6 = \boxed{}$

20 $3 \times \boxed{} = 24$

21 $3 \times 8 = \boxed{}$

22 $3 \times \boxed{} = 6$

23 $3 \times 9 = \boxed{}$

24 $3 \times \boxed{} = 21$

◎ 2단계 곱셈구구

2. 3단, 6단 곱셈구구

● 6단 곱셈구구

×	1	2	3	4	5	6	7	8	9
6	6	12	18	24	30	36	42	48	54

+6 +6 +6 +6 +6 +6 +6 +6

6단 곱셈구구는 6씩 커져!

➜ 6단 곱셈구구에서 곱하는 수가 1씩 커지면 곱은 6씩 커집니다.

그림을 보고 ☐ 안에 알맞은 수를 써넣으세요.

1

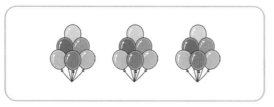

6 × ☐3☐ = ☐18☐

2

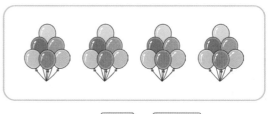

6 × ☐ = ☐

3

6 × ☐ = ☐

4

6 × ☐ = ☐

5

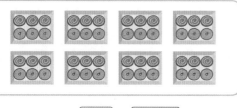

6 × ☐ = ☐

6

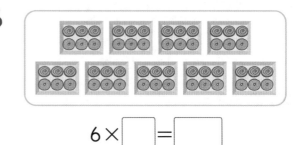

6 × ☐ = ☐

🐙 ☐ 안에 알맞은 수를 써넣으세요.

7 $6 \times 1 = $ ☐

8 $6 \times$ ☐ $= 12$

9 $6 \times 4 = $ ☐

10 $6 \times$ ☐ $= 48$

11 $6 \times 7 = $ ☐

12 $6 \times$ ☐ $= 36$

13 $6 \times 2 = $ ☐

14 $6 \times$ ☐ $= 6$

15 $6 \times 8 = $ ☐

16 $6 \times$ ☐ $= 18$

17 $6 \times 5 = $ ☐

18 $6 \times$ ☐ $= 24$

19 $6 \times 6 = $ ☐

20 $6 \times$ ☐ $= 54$

21 $6 \times 3 = $ ☐

22 $6 \times$ ☐ $= 42$

23 $6 \times 9 = $ ☐

24 $6 \times$ ☐ $= 30$

2. 3단, 6단 곱셈구구

🐙 ☐ 안에 알맞은 수를 써넣으세요.

1 3×1=☐　　**2** 6×2=☐

3 3×4=☐　　**4** 6×7=☐

5 3×8=☐　　**6** 6×5=☐

7 3×2=☐　　**8** 6×1=☐

9 3×5=☐　　**10** 6×3=☐

11 3×6=☐　　**12** 6×4=☐

13 3×7=☐　　**14** 6×6=☐

15 3×9=☐　　**16** 6×9=☐

17 3×3=☐　　**18** 6×8=☐

🐙 빈 곳에 두 수의 곱을 써넣으세요.

19

20

21

22

23

24

25

26

27

28

29

30

🎯 2단계 곱셈구구

2. 3단, 6단 곱셈구구

🐙 ☐ 안에 알맞은 수를 써넣으세요.

1 $3 \times \boxed{} = 6$

2 $6 \times \boxed{} = 12$

3 $3 \times \boxed{} = 18$

4 $6 \times \boxed{} = 24$

5 $3 \times \boxed{} = 12$

6 $6 \times \boxed{} = 30$

7 $3 \times \boxed{} = 24$

8 $6 \times \boxed{} = 54$

9 $3 \times \boxed{} = 3$

10 $6 \times \boxed{} = 18$

11 $3 \times \boxed{} = 21$

12 $6 \times \boxed{} = 42$

13 $3 \times \boxed{} = 27$

14 $6 \times \boxed{} = 6$

15 $3 \times \boxed{} = 15$

16 $6 \times \boxed{} = 36$

17 $3 \times \boxed{} = 9$

18 $6 \times \boxed{} = 48$

🐙 ☐ 안에 알맞은 수를 써넣으세요.

19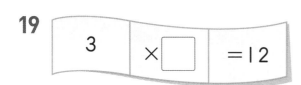
$3 \times \boxed{} = 12$

20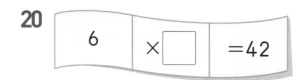
$6 \times \boxed{} = 42$

21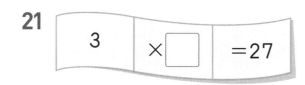
$3 \times \boxed{} = 27$

22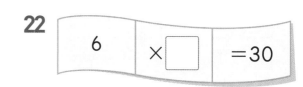
$6 \times \boxed{} = 30$

23
$3 \times \boxed{} = 21$

24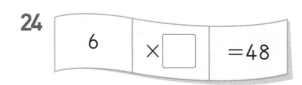
$6 \times \boxed{} = 48$

25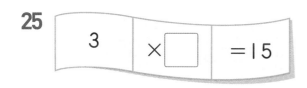
$3 \times \boxed{} = 15$

26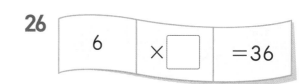
$6 \times \boxed{} = 36$

💡 **생활 속 연산**

정연이가 장미꽃을 꽃병 한 개에 3송이씩 꽂았습니다. 꽃병 6개에 꽂은 장미꽃은 모두 몇 송이인지 구하세요.

$3 \times \boxed{} = \boxed{}$ (송이)

2단계 곱셈구구

3. 4단, 8단 곱셈구구

● 4단 곱셈구구

×	1	2	3	4	5	6	7	8	9
4	4	8	12	16	20	24	28	32	36

4단 곱셈구구는 4씩 커져!

+4 +4 +4 +4 +4 +4 +4 +4

➡ 4단 곱셈구구에서 곱하는 수가 1씩 커지면 곱은 4씩 커집니다.

🐙 그림을 보고 □ 안에 알맞은 수를 써넣으세요.

1

4 × 3 = 12

2

4 × □ = □

3

4 × □ = □

4

4 × □ = □

5

4 × □ = □

6

4 × □ = □

🐙 □ 안에 알맞은 수를 써넣으세요.

7　$4 \times 1 = \boxed{}$

8　$4 \times \boxed{} = 12$

9　$4 \times 4 = \boxed{}$

10　$4 \times \boxed{} = 20$

11　$4 \times 7 = \boxed{}$

12　$4 \times \boxed{} = 4$

13　$4 \times 3 = \boxed{}$

14　$4 \times \boxed{} = 36$

15　$4 \times 5 = \boxed{}$

16　$4 \times \boxed{} = 32$

17　$4 \times 8 = \boxed{}$

18　$4 \times \boxed{} = 16$

19　$4 \times 2 = \boxed{}$

20　$4 \times \boxed{} = 24$

21　$4 \times 9 = \boxed{}$

22　$4 \times \boxed{} = 28$

23　$4 \times 6 = \boxed{}$

24　$4 \times \boxed{} = 8$

◎ 2단계 곱셈구구

3. 4단, 8단 곱셈구구

● 8단 곱셈구구

×	1	2	3	4	5	6	7	8	9
8	8	16	24	32	40	48	56	64	72

→ 8단 곱셈구구는 8씩 커져!

+8 +8 +8 +8 +8 +8 +8 +8

➡ 8단 곱셈구구에서 곱하는 수가 1씩 커지면 곱은 8씩 커집니다.

🐙 그림을 보고 ☐ 안에 알맞은 수를 써넣으세요.

1

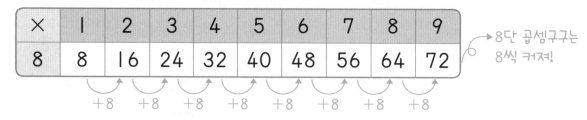

$8 \times \boxed{2} = \boxed{16}$

2

$8 \times \boxed{} = \boxed{}$

3

$8 \times \boxed{} = \boxed{}$

4

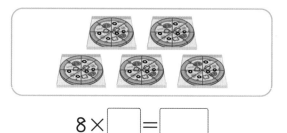

$8 \times \boxed{} = \boxed{}$

5

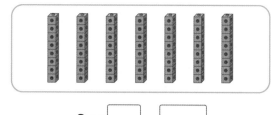

$8 \times \boxed{} = \boxed{}$

6

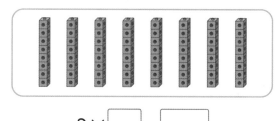

$8 \times \boxed{} = \boxed{}$

🐙 ☐ 안에 알맞은 수를 써넣으세요.

7 8 × 1 = ☐

8 8 × ☐ = 24

9 8 × 4 = ☐

10 8 × ☐ = 40

11 8 × 7 = ☐

12 8 × ☐ = 64

13 8 × 5 = ☐

14 8 × ☐ = 16

15 8 × 3 = ☐

16 8 × ☐ = 8

17 8 × 8 = ☐

18 8 × ☐ = 72

19 8 × 6 = ☐

20 8 × ☐ = 32

21 8 × 2 = ☐

22 8 × ☐ = 56

23 8 × 9 = ☐

24 8 × ☐ = 48

3. 4단, 8단 곱셈구구

🐙 ☐ 안에 알맞은 수를 써넣으세요.

1 4×1=☐

2 8×5=☐

3 4×8=☐

4 8×2=☐

5 4×5=☐

6 8×9=☐

7 4×3=☐

8 8×4=☐

9 4×2=☐

10 8×7=☐

11 4×6=☐

12 8×8=☐

13 4×7=☐

14 8×1=☐

15 4×9=☐

16 8×3=☐

17 4×4=☐

18 8×6=☐

🐙 빈 곳에 알맞은 수를 써넣으세요.

19   $4 \times 3 = \bigcirc$

20   $8 \times 2 = \bigcirc$

21   $4 \times 7 = \bigcirc$

22   $8 \times 9 = \bigcirc$

23   $4 \times 6 = \bigcirc$

24   $8 \times 8 = \bigcirc$

25   $4 \times 2 = \bigcirc$

26   $8 \times 5 = \bigcirc$

27   $4 \times 4 = \bigcirc$

28   $8 \times 4 = \bigcirc$

29   $4 \times 9 = \bigcirc$

30   $8 \times 6 = \bigcirc$

◎ 2단계 곱셈구구

3. 4단, 8단 곱셈구구

🐙 ☐ 안에 알맞은 수를 써넣으세요.

1 $4 \times \boxed{} = 12$

2 $8 \times \boxed{} = 16$

3 $4 \times \boxed{} = 20$

4 $8 \times \boxed{} = 24$

5 $4 \times \boxed{} = 4$

6 $8 \times \boxed{} = 40$

7 $4 \times \boxed{} = 28$

8 $8 \times \boxed{} = 8$

9 $4 \times \boxed{} = 32$

10 $8 \times \boxed{} = 48$

11 $4 \times \boxed{} = 16$

12 $8 \times \boxed{} = 56$

13 $4 \times \boxed{} = 24$

14 $8 \times \boxed{} = 72$

15 $4 \times \boxed{} = 36$

16 $8 \times \boxed{} = 32$

17 $4 \times \boxed{} = 8$

18 $8 \times \boxed{} = 64$

🐙 빈칸에 알맞은 수를 써넣으세요.

19 | 4 | × | | = | 16 |

20 | 8 | × | | = | 16 |

21 | 4 | × | | = | 12 |

22 | 8 | × | | = | 40 |

23 | 4 | × | | = | 28 |

24 | 8 | × | | = | 24 |

25 | 4 | × | | = | 20 |

26 | 8 | × | | = | 32 |

27 | 4 | × | | = | 32 |

28 | 8 | × | | = | 72 |

💡 생활 속 연산

어느 카페에 탁자 한 개에 의자가 4개씩 있습니다. 탁자 4개에 있는 의자는 모두 몇 개인지 구하세요.

$$4 \times \boxed{} = \boxed{} \text{(개)}$$

4. 7단, 9단 곱셈구구

● 7단 곱셈구구

×	1	2	3	4	5	6	7	8	9
7	7	14	21	28	35	42	49	56	63

→ 7단 곱셈구구는 7씩 커져!

+7 +7 +7 +7 +7 +7 +7 +7

➡ 7단 곱셈구구에서 곱하는 수가 1씩 커지면 곱은 7씩 커집니다.

🐙 그림을 보고 ☐ 안에 알맞은 수를 써넣으세요.

1
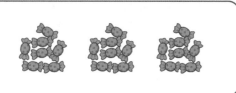

$7 \times \boxed{3} = \boxed{21}$

2
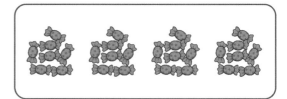

$7 \times \boxed{} = \boxed{}$

3

$7 \times \boxed{} = \boxed{}$

4
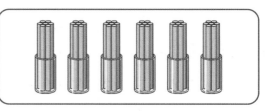

$7 \times \boxed{} = \boxed{}$

5
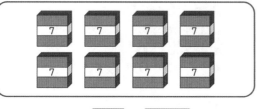

$7 \times \boxed{} = \boxed{}$

6
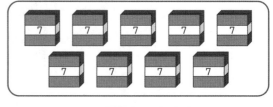

$7 \times \boxed{} = \boxed{}$

🐙 ☐ 안에 알맞은 수를 써넣으세요.

7 $7 \times 1 = $ ☐

8 $7 \times $ ☐ $= 14$

9 $7 \times 4 = $ ☐

10 $7 \times $ ☐ $= 42$

11 $7 \times 7 = $ ☐

12 $7 \times $ ☐ $= 7$

13 $7 \times 3 = $ ☐

14 $7 \times $ ☐ $= 28$

15 $7 \times 8 = $ ☐

16 $7 \times $ ☐ $= 63$

17 $7 \times 5 = $ ☐

18 $7 \times $ ☐ $= 21$

19 $7 \times 2 = $ ☐

20 $7 \times $ ☐ $= 49$

21 $7 \times 9 = $ ☐

22 $7 \times $ ☐ $= 35$

23 $7 \times 6 = $ ☐

24 $7 \times $ ☐ $= 56$

◎ 2단계 곱셈구구

4. 7단, 9단 곱셈구구

● 9단 곱셈구구

×	1	2	3	4	5	6	7	8	9
9	9	18	27	36	45	54	63	72	81

+9 +9 +9 +9 +9 +9 +9 +9

9단 곱셈구구는 9씩 커져!

➡ 9단 곱셈구구에서 곱하는 수가 1씩 커지면 곱은 9씩 커집니다.

🐙 그림을 보고 ☐ 안에 알맞은 수를 써넣으세요.

1

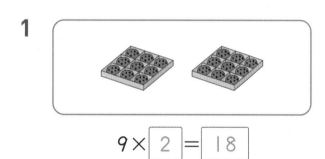

$9 \times \boxed{2} = \boxed{18}$

2

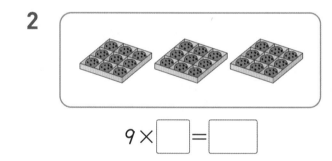

$9 \times \boxed{} = \boxed{}$

3

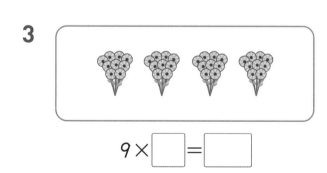

$9 \times \boxed{} = \boxed{}$

4

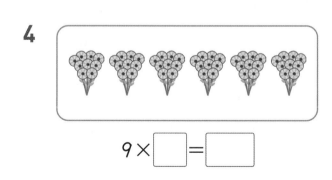

$9 \times \boxed{} = \boxed{}$

5

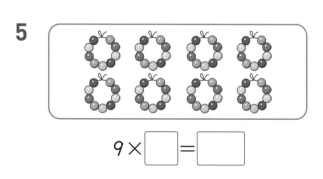

$9 \times \boxed{} = \boxed{}$

6

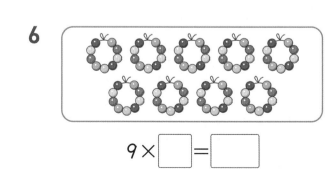

$9 \times \boxed{} = \boxed{}$

🐙 ☐ 안에 알맞은 수를 써넣으세요.

7 $9 \times 1 = \boxed{}$

8 $9 \times \boxed{} = 18$

9 $9 \times 3 = \boxed{}$

10 $9 \times \boxed{} = 45$

11 $9 \times 6 = \boxed{}$

12 $9 \times \boxed{} = 72$

13 $9 \times 4 = \boxed{}$

14 $9 \times \boxed{} = 27$

15 $9 \times 8 = \boxed{}$

16 $9 \times \boxed{} = 9$

17 $9 \times 5 = \boxed{}$

18 $9 \times \boxed{} = 81$

19 $9 \times 2 = \boxed{}$

20 $9 \times \boxed{} = 63$

21 $9 \times 9 = \boxed{}$

22 $9 \times \boxed{} = 36$

23 $9 \times 7 = \boxed{}$

24 $9 \times \boxed{} = 54$

2단계 곱셈구구

4. 7단, 9단 곱셈구구

🐙 ☐ 안에 알맞은 수를 써넣으세요.

1 $7 \times 1 =$ ☐

2 $9 \times 4 =$ ☐

3 $7 \times 7 =$ ☐

4 $9 \times 5 =$ ☐

5 $7 \times 6 =$ ☐

6 $9 \times 1 =$ ☐

7 $7 \times 3 =$ ☐

8 $9 \times 2 =$ ☐

9 $7 \times 2 =$ ☐

10 $9 \times 6 =$ ☐

11 $7 \times 9 =$ ☐

12 $9 \times 9 =$ ☐

13 $7 \times 5 =$ ☐

14 $9 \times 7 =$ ☐

15 $7 \times 4 =$ ☐

16 $9 \times 3 =$ ☐

17 $7 \times 8 =$ ☐

18 $9 \times 8 =$ ☐

🐙 빈 곳에 알맞은 수를 써넣으세요.

19
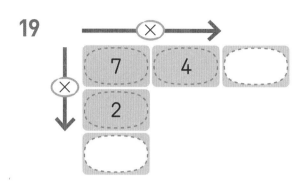

20
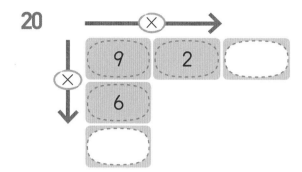

21
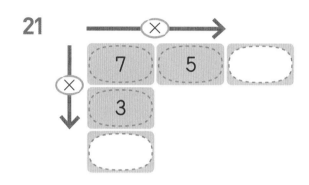

22
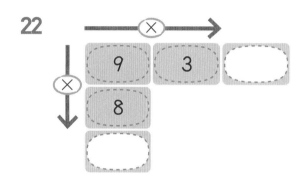

23
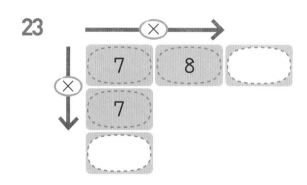

24
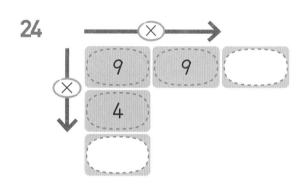

25
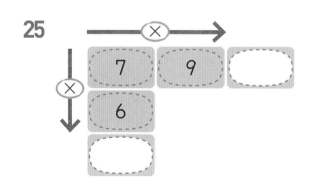

26
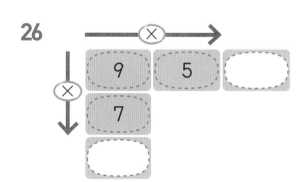

2단계 곱셈구구

4. 7단, 9단 곱셈구구

🐙 ☐ 안에 알맞은 수를 써넣으세요.

1 7 × ☐ = 14

2 9 × ☐ = 18

3 7 × ☐ = 28

4 9 × ☐ = 9

5 7 × ☐ = 49

6 9 × ☐ = 54

7 7 × ☐ = 7

8 9 × ☐ = 27

9 7 × ☐ = 56

10 9 × ☐ = 63

11 7 × ☐ = 42

12 9 × ☐ = 36

13 7 × ☐ = 35

14 9 × ☐ = 72

15 7 × ☐ = 21

16 9 × ☐ = 81

17 7 × ☐ = 63

18 9 × ☐ = 45

🐙 ☐ 안에 알맞은 수를 써넣으세요.

19
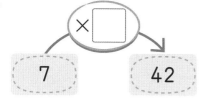

20
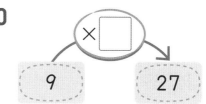

21
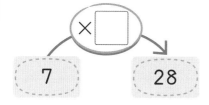

22

23
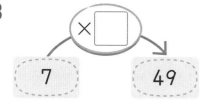

24
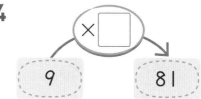

25
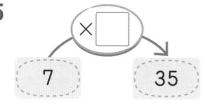

26
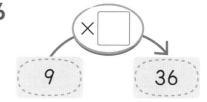

💡 **생활 속 연산**

구슬 팔찌 한 개를 만드는 데 구슬 9개가 필요합니다. 민아가 구슬 팔찌 7개를 만들려면 구슬은 모두 몇 개 필요한지 구하세요.

$9 \times \boxed{} = \boxed{}$ (개)

5. 1단 곱셈구구, 0의 곱

● **1단 곱셈구구**

×	1	2	3	4	5	6	7	8	9
1	1	2	3	4	5	6	7	8	9

➡ 1×(어떤 수)=(어떤 수)

● **0과 어떤 수의 곱**

- 0과 어떤 수의 곱은 항상 0입니다. ➡ 0×(어떤 수)=0
- 어떤 수와 0의 곱은 항상 0입니다. ➡ (어떤 수)×0=0

🐙 그림을 보고 ☐ 안에 알맞은 수를 써넣으세요.

1

1×3=☐

2

→ 0과 ★의 곱은 항상 0이야.

0×4=☐

3

1×5=☐

4

0×6=☐

5

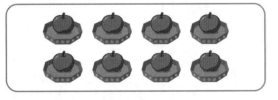

1×8=☐

6

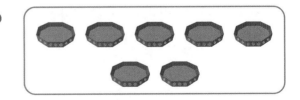

0×7=☐

🐙 ☐ 안에 알맞은 수를 써넣으세요.

7 $1 \times 1 = \boxed{}$

8 $0 \times 2 = \boxed{}$

↪ 1과 ★의 곱은 항상 ★이야.

↪ ★과 0의 곱은 항상 0이야.

9 $1 \times 4 = \boxed{}$

10 $1 \times 0 = \boxed{}$

11 $1 \times 8 = \boxed{}$

12 $0 \times 8 = \boxed{}$

13 $1 \times 5 = \boxed{}$

14 $0 \times 3 = \boxed{}$

15 $1 \times 6 = \boxed{}$

16 $6 \times 0 = \boxed{}$

17 $1 \times 3 = \boxed{}$

18 $4 \times 0 = \boxed{}$

19 $1 \times 2 = \boxed{}$

20 $0 \times 7 = \boxed{}$

21 $1 \times 9 = \boxed{}$

22 $0 \times 5 = \boxed{}$

23 $1 \times 7 = \boxed{}$

24 $9 \times 0 = \boxed{}$

◎ 2단계 곱셈구구

5. 1단 곱셈구구, 0의 곱

🐙 ☐ 안에 알맞은 수를 써넣으세요.

1 $1 \times \boxed{} = 6$

2 $3 \times \boxed{} = 0$

3 $1 \times \boxed{} = 1$

4 $5 \times \boxed{} = 0$

5 $1 \times \boxed{} = 7$

6 $8 \times \boxed{} = 0$

7 $1 \times \boxed{} = 2$

8 $1 \times \boxed{} = 0$

9 $1 \times \boxed{} = 3$

10 $7 \times \boxed{} = 0$

11 $\boxed{} \times 8 = 8$

12 $\boxed{} \times 9 = 0$

13 $\boxed{} \times 5 = 5$

14 $\boxed{} \times 2 = 0$

15 $\boxed{} \times 4 = 4$

16 $\boxed{} \times 4 = 0$

17 $\boxed{} \times 9 = 9$

18 $\boxed{} \times 6 = 0$

🐙 빈 곳에 알맞은 수를 써넣으세요.

19
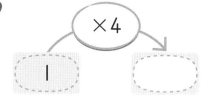

20
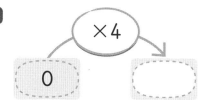

21
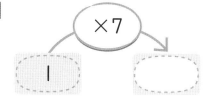

22
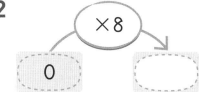

23
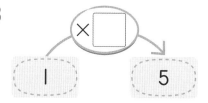

24
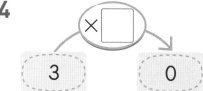

25
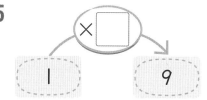

26
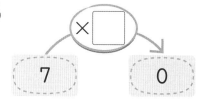

💡 생활 속 연산

소라와 친구들은 상자에서 공을 5개씩 꺼내어 공에 적힌 수만큼 점수를 얻는 놀이를 하였습니다. 소라가 꺼낸 공의 점수가 다음과 같을 때 소라는 몇 점을 얻었는지 구하세요.

점수(점)	0	1	3
꺼낸 공의 수(개)	2	3	0

(   )점

◎2단계 곱셈구구

6. 곱셈표

● **곱셈표**

×	0	1	2	3	4	5	6	7	8	9
0	0	0	0	0	0	0	0	0	0	0
1	0	1	2	3	4	5	6	7	8	9
2	0	2	4	6	8	10	12	14	16	18
3	0	3	6	9	12	15	18	21	24	27
4	0	4	8	12	16	20	24	28	32	36
5	0	5	10	15	20	25	30	35	40	45
6	0	6	12	18	24	30	36	42	48	54
7	0	7	14	21	28	35	42	49	56	63
8	0	8	16	24	32	40	48	56	64	72
9	0	9	18	27	36	45	54	63	72	81

곱셈표에서 곱이 짝수인 곱셈구구를 찾아보면 2단, 4단, 6단, 8단이야.

➡ ◆단 곱셈구구에서는 곱이 ◆씩 커집니다.

➡ 곱하는 두 수의 순서를 서로 바꾸어도 곱은 같습니다.

$$● × ▲ = ▲ × ●$$

🐙 빈칸에 알맞은 수를 써넣으세요.

1

×	1	2	3	4	5
1					

2

×	1	2	3	4	5
4					

3

×	3	4	5	6	7
5					

4

×	5	6	7	8	9
8					

🐙 빈칸에 알맞은 수를 써넣으세요.

5

×	1	2	3	4
1				4
2			6	
3			9	
4	4			

6

×	2	3	4	5
3				15
4		12		
5			20	
6		18		

7

×	1	2	3	4
5	5			
6			18	
7		14		
8				32

8

×	4	5	6	7
6			36	
7	28			
8			48	
9		45		

9

×	6	7	8	9
1		7		
2				18
3				27
4	24			

10

×	3	4	5	6
0		0		
1				6
2		8		
3			15	

11

×	2	3	4	5
4				20
5	10			
6				30
7		21		

12

×	6	7	8	9
6	36			
7			56	
8		56		
9				81

2단계 곱셈구구

6. 곱셈표

🐙 빈칸에 알맞은 수를 써넣으세요.

1

×	4	5	6	7	8
1					

2

×	2	3	4	5	6
2					

3

×	2	3	4	5	6
3					

4

×	4	5	6	7	8
4					

5

×	3	4	5	6	7
6					

6

×	4	5	6	7	8
7					

7

×	5	6	7	8	9
5					

8

×	3	4	5	6	7
9					

9

×	3	4	5	6	7
8					

10

×	5	6	7	8	9
3					

11

×	2	3	4	5	6
5					

12

×	5	6	7	8	9
6					

🐙 빈칸에 알맞은 수를 써넣으세요.

13

×	1	2	3	4	5
0					
1					
2					
3					
4					
5					

14

×	2	3	4	5	6
4					
5					
6					
7					
8					
9					

15

×	3	4	5	6	7
2					
3					
4					
5					
6					
7					

16

×	4	5	6	7	8
3					
4					
5					
6					
7					
8					

17

×	5	6	7	8	9
1					
2					
3					
4					
5					
6					

18

×	5	6	7	8	9
4					
5					
6					
7					
8					
9					

6. 곱셈표

🐙 곱셈표를 보고 ☐ 안에 알맞은 수를 써넣으세요.

×	1	2	3	4	5	6
1	1	2	3	4	5	6
2	2	4	6	8	■	●
3	3	6	9	12	15	18
4	4	8	12	16	20	24
5	5	■	15	20	25	30
6	6	12	★	24	30	36

곱셈표에서 여러 가지 규칙을 찾아봐

1 노란색으로 둘러싸인 수들은 ☐씩 커집니다.

2 곱셈표에서 곱이 4씩 커지는 곱셈구구는 ☐단입니다.

3 빨간색으로 칠한 곳에 들어갈 수 있는 수는 ☐입니다.

4 곱셈표에서 4×5의 곱과 같은 곱셈구구는 5×☐입니다.

5 곱셈표에서 6×4의 곱과 같은 곱셈구구는 4×☐입니다.

6 점선을 따라 접었을 때 ●가 있는 칸과 만나는 곳에 있는 수는 ☐입니다.

7 점선을 따라 접었을 때 ★이 있는 칸과 만나는 곳에 있는 수는 ☐입니다.

🐙 곱셈표를 완성하고 ☐ 안에 알맞은 수를 써넣으세요.

×	1	2	3	4	5	6	7	8	9
1	1	2	3	4	5	6	7	8	9
2	2	4	6	8	10	12	14	16	18
3	3	6	9	12	15	18	21	24	27
4	4	8	12	16	20	24	28	32	36
5	5	10	◆	20					
6	6	12	18	24					
7	7	14	21	28					
8	8	16	24	32	♥				
9	9	18	27	36					

8 초록색으로 둘러싸인 수들은 ☐ 씩 커집니다.

9 파란색으로 둘러싸인 수들은 ☐ 씩 커집니다.

10 곱셈표에서 곱이 5씩 커지는 곱셈구구는 ☐ 단입니다.

11 곱셈표에서 곱이 7씩 커지는 곱셈구구는 ☐ 단입니다.

12 점선을 따라 접었을 때 ◆가 있는 칸과 만나는 곳에 있는 수는 ☐ 입니다.

13 점선을 따라 접었을 때 ♥가 있는 칸과 만나는 곳에 있는 수는 ☐ 입니다.

🎯 2단계 곱셈구구

마무리 연산

🐙 ☐ 안에 알맞은 수를 써넣으세요.

1 $2 \times 4 =$ ☐

2 $3 \times 2 =$ ☐

3 $5 \times 9 =$ ☐

4 $3 \times 7 =$ ☐

5 $6 \times 3 =$ ☐

6 $3 \times 3 =$ ☐

7 $6 \times 2 =$ ☐

8 $5 \times 8 =$ ☐

9 $6 \times 4 =$ ☐

10 $2 \times 3 =$ ☐

11 $5 \times 3 =$ ☐

12 $3 \times 9 =$ ☐

13 $6 \times 5 =$ ☐

14 $2 \times 5 =$ ☐

15 $3 \times 4 =$ ☐

16 $3 \times 6 =$ ☐

17 $5 \times 2 =$ ☐

18 $5 \times 5 =$ ☐

19 $2 \times 6 =$ ☐

20 $6 \times 7 =$ ☐

21 $2 \times 7 =$ ☐

🐙 ☐ 안에 알맞은 수를 써넣으세요.

22 $4 \times 3 =$ ☐　　23 $8 \times 4 =$ ☐　　24 $7 \times 3 =$ ☐

25 $8 \times 5 =$ ☐　　26 $9 \times 2 =$ ☐　　27 $8 \times 7 =$ ☐

28 $9 \times 9 =$ ☐　　29 $4 \times 7 =$ ☐　　30 $9 \times 6 =$ ☐

31 $4 \times 5 =$ ☐　　32 $7 \times 5 =$ ☐　　33 $4 \times 9 =$ ☐

34 $7 \times 9 =$ ☐　　35 $9 \times 8 =$ ☐　　36 $7 \times 8 =$ ☐

37 $1 \times 6 =$ ☐　　38 $1 \times 7 =$ ☐　　39 $1 \times 9 =$ ☐

40 $0 \times 4 =$ ☐　　41 $0 \times 5 =$ ☐　　42 $3 \times 0 =$ ☐

◎ 2단계 곱셈구구

마무리 연산

🐙 ☐ 안에 알맞은 수를 써넣으세요.

1 $3 \times \boxed{} = 6$

2 $5 \times \boxed{} = 15$

3 $4 \times \boxed{} = 24$

4 $2 \times \boxed{} = 14$

5 $7 \times \boxed{} = 21$

6 $8 \times \boxed{} = 48$

7 $6 \times \boxed{} = 18$

8 $9 \times \boxed{} = 36$

9 $1 \times \boxed{} = 8$

10 $9 \times \boxed{} = 0$

11 $2 \times \boxed{} = 12$

12 $6 \times \boxed{} = 30$

13 $5 \times \boxed{} = 35$

14 $8 \times \boxed{} = 40$

15 $9 \times \boxed{} = 63$

16 $1 \times \boxed{} = 5$

17 $7 \times \boxed{} = 0$

18 $6 \times \boxed{} = 54$

19 $9 \times \boxed{} = 72$

20 $4 \times \boxed{} = 24$

21 $7 \times \boxed{} = 56$

🐙 빈칸에 알맞은 수를 써넣으세요.

22

×	2	3	4	5	6
3					

23

×	2	3	4	5	6
6					

24

×	5	6	7	8	9
4					

25

×	5	6	7	8	9
5					

26

×	4	5	6	7	8
7					

27

×	4	5	6	7	8
9					

28

×	2	3	4	5
0				
1				
2				
3				

29

×	3	4	5	6
4				
5				
6				
7				

30

×	4	5	6	7
1				
2				
3				
4				

31

×	6	7	8	9
6				
7				
8				
9				

3

길이의 계산

문제를 잘 읽고 요구하는
답이 무엇인지 꼼꼼히
살펴보자!

학습 결과와 시간을 써 보세요!

학습 내용	학습 회차	맞힌 개수/걸린 시간
1. m와 cm의 관계	DAY 01	/
	DAY 02	/
	DAY 03	/
2. 받아올림이 없는 길이의 합	DAY 04	/
	DAY 05	/
	DAY 06	/
	DAY 07	/
3. 받아올림이 있는 길이의 합	DAY 08	/
	DAY 09	/
	DAY 10	/
	DAY 11	/
4. 받아내림이 없는 길이의 차	DAY 12	/
	DAY 13	/
	DAY 14	/
	DAY 15	/
5. 받아내림이 있는 길이의 차	DAY 16	/
	DAY 17	/
	DAY 18	/
	DAY 19	/
마무리 연산	DAY 20	/
	DAY 21	/

기초력 상승!

하나 둘! 하나 둘!

3단계 길이의 계산

1. m와 cm의 관계

예 245 cm는 몇 m 몇 cm인지 구하기

> 100 cm=1 m

$$245\,cm=\underline{200\,cm}+45\,cm$$
$$=\underline{2\,m}+45\,cm$$
$$=2\,m\,45\,cm$$

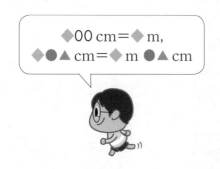

◆00 cm=◆ m,
◆●▲ cm=◆ m ●▲ cm

□ 안에 알맞은 수를 써넣으세요.

1 100 cm = ⃞1⃞ m

2 400 cm = ⃞ m

3 150 cm = ⃞ m ⃞ cm

4 240 cm = ⃞ m ⃞ cm

5 274 cm = ⃞ m ⃞ cm

6 561 cm = ⃞ m ⃞ cm

7 307 cm = ⃞ m ⃞ cm

8 420 cm = ⃞ m ⃞ cm

9 613 cm = ⃞ m ⃞ cm

10 878 cm = ⃞ m ⃞ cm

11 529 cm = ⃞ m ⃞ cm

12 764 cm = ⃞ m ⃞ cm

🐙 같은 길이가 되도록 ☐ 안에 알맞은 수를 써넣으세요.

13 123 cm ☐ m ☐ cm

14 197 cm ☐ m ☐ cm

15 249 cm ☐ m ☐ cm

16 265 cm ☐ m ☐ cm

17 387 cm ☐ m ☐ cm

18 409 cm ☐ m ☐ cm

19 465 cm ☐ m ☐ cm

20 512 cm ☐ m ☐ cm

21 629 cm ☐ m ☐ cm

22 660 cm ☐ m ☐ cm

23 745 cm ☐ m ☐ cm

24 889 cm ☐ m ☐ cm

25 921 cm ☐ m ☐ cm

26 909 cm ☐ m ☐ cm

◎3단계 길이의 계산

1. m와 cm의 관계

예 2 m 65 cm는 몇 cm인지 구하기

$$1\ m = 100\ cm$$

2 m 65 cm = 2 m + 65 cm
= 200 cm + 65 cm
= 265 cm

◆ m = ◆00 cm,
◆ m ● ▲ cm = ◆●▲ cm

🐙 □ 안에 알맞은 수를 써넣으세요.

1 1 m = □ cm

2 3 m = □ cm

3 2 m 56 cm = □ cm

4 5 m 78 cm = □ cm

5 8 m 40 cm = □ cm

6 3 m 61 cm = □ cm

7 4 m 23 cm = □ cm

8 4 m 87 cm = □ cm

9 5 m 6 cm = □ cm

10 7 m 48 cm = □ cm

11 6 m 12 cm = □ cm

12 9 m 37 cm = □ cm

🐙 같은 길이가 되도록 ☐ 안에 알맞은 수를 써넣으세요.

13
1 m 98 cm = ☐ cm

14
2 m 34 cm = ☐ cm

15
2 m 61 cm = ☐ cm

16
3 m 7 cm = ☐ cm

17
3 m 24 cm = ☐ cm

18
4 m 57 cm = ☐ cm

19
4 m 86 cm = ☐ cm

20
5 m 56 cm = ☐ cm

21
6 m 47 cm = ☐ cm

22
6 m 9 cm = ☐ cm

23
7 m 74 cm = ☐ cm

24
7 m 22 cm = ☐ cm

25
8 m 43 cm = ☐ cm

26
9 m 27 cm = ☐ cm

3단계 길이의 계산

1. m와 cm의 관계

🐙 ☐ 안에 알맞은 수를 써넣으세요.

1 400 cm = ☐ m

2 7 m = ☐ cm

3 142 cm = ☐ m ☐ cm

4 1 m 8 cm = ☐ cm

5 223 cm = ☐ m ☐ cm

6 3 m 56 cm = ☐ cm

7 619 cm = ☐ m ☐ cm

8 7 m 71 cm = ☐ cm

9 565 cm = ☐ m ☐ cm

10 4 m 23 cm = ☐ cm

11 780 cm = ☐ m ☐ cm

12 5 m 48 cm = ☐ cm

13 829 cm = ☐ m ☐ cm

14 9 m 80 cm = ☐ cm

🐙 왼쪽의 길이와 같은 길이에 색칠하세요.

15
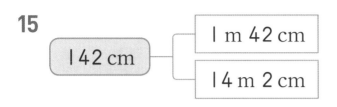

142 cm — 1 m 42 cm / 14 m 2 cm

16
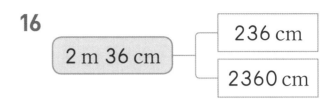

2 m 36 cm — 236 cm / 2360 cm

17
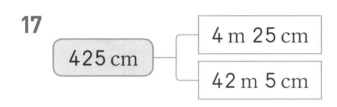

425 cm — 4 m 25 cm / 42 m 5 cm

18
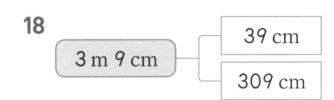

3 m 9 cm — 39 cm / 309 cm

19
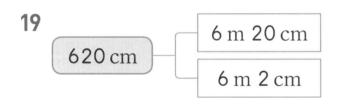

620 cm — 6 m 20 cm / 6 m 2 cm

20
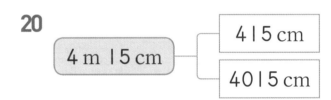

4 m 15 cm — 415 cm / 4015 cm

21
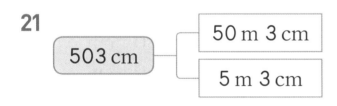

503 cm — 50 m 3 cm / 5 m 3 cm

22
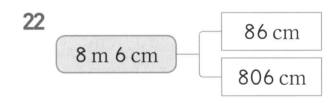

8 m 6 cm — 86 cm / 806 cm

💡 **생활 속 연산**

예리가 책상의 긴 쪽의 길이를 재었습니다. 책상의 긴 쪽의 길이가 140 cm였다면 책상의 긴 쪽의 길이는 몇 m 몇 cm인지 구하세요.

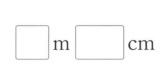

□ m □ cm

◎ 3단계 길이의 계산

2. 받아올림이 없는 길이의 합

예 1 m 20 cm + 2 m 30 cm의 계산

```
      1 m   20 cm              1 m   20 cm
   +  2 m   30 cm     ➡     +  2 m   30 cm
            50 cm              3 m   50 cm
```

m는 m끼리,
cm는 cm끼리
더해야 해!

🐙 계산을 하세요.

→ m는 m끼리, cm는 cm끼리
자리를 맞추어 써!

1
```
      2  m   10  cm
   +  3  m   40  cm
      [5] m  [50] cm
```

2
```
      3  m   40  cm
   +  1  m   50  cm
      [ ] m  [ ] cm
```

3
```
      2  m   30  cm
   +  4  m   10  cm
      [ ] m  [ ] cm
```

4
```
      5  m   20  cm
   +  4  m   40  cm
      [ ] m  [ ] cm
```

5
```
      1  m   45  cm
   +  3  m   20  cm
      [ ] m  [ ] cm
```

6
```
      3  m   52  cm
   +  5  m   18  cm
      [ ] m  [ ] cm
```

🐙 계산을 하세요.

7 1 m 30 cm＋2 m 40 cm
= ☐ m ☐ cm

8 2 m 60 cm＋1 m 20 cm
= ☐ m ☐ cm

9 2 m 50 cm＋1 m 25 cm
= ☐ m ☐ cm

10 4 m 40 cm＋3 m 25 cm
= ☐ m ☐ cm

11 4 m 42 cm＋2 m 15 cm
= ☐ m ☐ cm

12 3 m 25 cm＋1 m 62 cm
= ☐ m ☐ cm

13 5 m 67 cm＋3 m 28 cm
= ☐ m ☐ cm

14 6 m 24 cm＋3 m 52 cm
= ☐ m ☐ cm

15 4 m 35 cm＋2 m 56 cm
= ☐ m ☐ cm

16 3 m 26 cm＋4 m 71 cm
= ☐ m ☐ cm

17 6 m 18 cm＋2 m 23 cm
= ☐ m ☐ cm

18 7 m 33 cm＋1 m 29 cm
= ☐ m ☐ cm

19 8 m 46 cm＋1 m 25 cm
= ☐ m ☐ cm

20 7 m 54 cm＋2 m 18 cm
= ☐ m ☐ cm

3단계 길이의 계산

2. 받아올림이 없는 길이의 합

🐙 계산을 하세요.

1
```
    1 m   45 cm
+   2 m   30 cm
```

2
```
    1 m    5 cm
+   4 m   50 cm
```

3
```
    2 m   20 cm
+   3 m   19 cm
```

4
```
    2 m   36 cm
+   5 m   40 cm
```

5
```
    3 m   22 cm
+   5 m   71 cm
```

6
```
    4 m   52 cm
+   4 m   19 cm
```

7
```
    5 m   65 cm
+   2 m   14 cm
```

8
```
    4 m   72 cm
+   5 m   12 cm
```

9
```
    5 m   38 cm
+   4 m   17 cm
```

10
```
    5 m   47 cm
+   3 m   28 cm
```

🐙 계산을 하세요.

11 1 m 4 cm
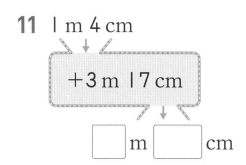
+3 m 17 cm

☐ m ☐ cm

12 2 m 17 cm
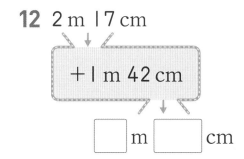
+1 m 42 cm

☐ m ☐ cm

13 2 m 30 cm
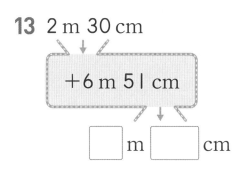
+6 m 51 cm

☐ m ☐ cm

14 3 m 27 cm
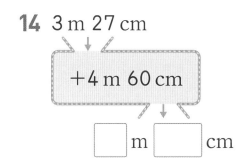
+4 m 60 cm

☐ m ☐ cm

15 4 m 32 cm
+4 m 50 cm

☐ m ☐ cm

16 5 m 24 cm
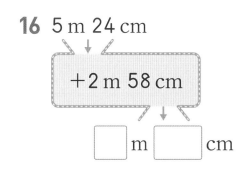
+2 m 58 cm

☐ m ☐ cm

17 6 m 31 cm
+1 m 45 cm

☐ m ☐ cm

18 6 m 37 cm
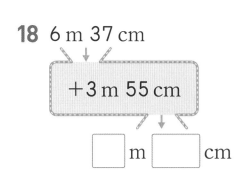
+3 m 55 cm

☐ m ☐ cm

2. 받아올림이 없는 길이의 합

🐙 계산을 하세요.

1
$$1\text{ m }12\text{ cm} + 2\text{ m }64\text{ cm}$$

2
$$2\text{ m }54\text{ cm} + 3\text{ m }16\text{ cm}$$

3
$$2\text{ m }23\text{ cm} + 4\text{ m }68\text{ cm}$$

4
$$2\text{ m }62\text{ cm} + 5\text{ m }18\text{ cm}$$

5
$$4\text{ m }45\text{ cm} + 4\text{ m }27\text{ cm}$$

6
$$3\text{ m }64\text{ cm} + 5\text{ m }19\text{ cm}$$

7
$$4\text{ m }75\text{ cm} + 6\text{ m }15\text{ cm}$$

8
$$4\text{ m }58\text{ cm} + 8\text{ m }27\text{ cm}$$

9
$$4\text{ m }32\text{ cm} + 7\text{ m }28\text{ cm}$$

10
$$5\text{ m }63\text{ cm} + 6\text{ m }27\text{ cm}$$

🐙 계산을 하세요.

11
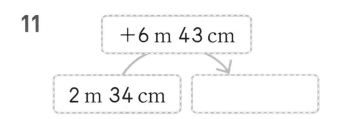
+6 m 43 cm
2 m 34 cm

12
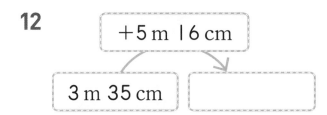
+5 m 16 cm
3 m 35 cm

13
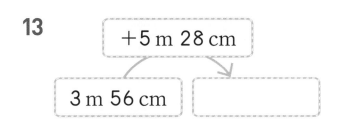
+5 m 28 cm
3 m 56 cm

14
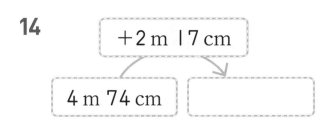
+2 m 17 cm
4 m 74 cm

15
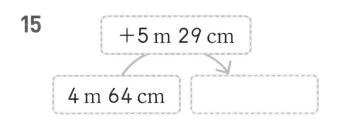
+5 m 29 cm
4 m 64 cm

16
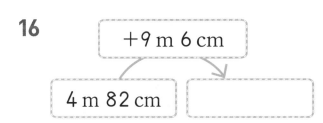
+9 m 6 cm
4 m 82 cm

17
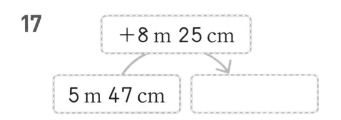
+8 m 25 cm
5 m 47 cm

18
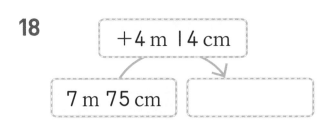
+4 m 14 cm
7 m 75 cm

19
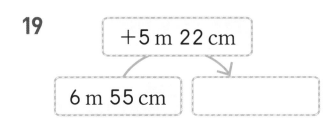
+5 m 22 cm
6 m 55 cm

20
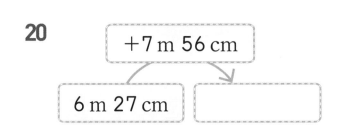
+7 m 56 cm
6 m 27 cm

2. 받아올림이 없는 길이의 합

🐙 계산을 하세요.

1 3 m 35 cm+2 m 25 cm

2 1 m 32 cm+5 m 58 cm

3 3 m 50 cm+4 m 40 cm

4 2 m 54 cm+6 m 31 cm

5 2 m 75 cm+6 m 15 cm

6 4 m 24 cm+5 m 28 cm

7 3 m 48 cm+7 m 37 cm

8 6 m 16 cm+6 m 47 cm

9 4 m 28 cm+5 m 46 cm

10 4 m 52 cm+7 m 37 cm

11 5 m 36 cm+7 m 46 cm

12 5 m 43 cm+8 m 54 cm

13 6 m 16 cm+5 m 49 cm

14 6 m 35 cm+8 m 52 cm

🐙 빈칸에 두 길이의 합을 써넣으세요.

15
2 m 26 cm	5 m 44 cm

16
3 m 48 cm	4 m 17 cm

17
4 m 60 cm	2 m 25 cm

18
4 m 75 cm	5 m 13 cm

19
5 m 47 cm	7 m 39 cm

20
5 m 63 cm	8 m 18 cm

21
6 m 44 cm	7 m 32 cm

22
6 m 58 cm	9 m 27 cm

💡 생활 속 연산

민재와 현아의 대화를 읽고, 민재와 현아의 키의 합은 몇 m 몇 cm인지 구하세요.

현아야, 내 키는
1 m 33 cm야.

민재

그렇구나! 내 키는
1 m 45 cm야.

현아

☐ m ☐ cm

◎ 3단계 길이의 계산

3. 받아올림이 있는 길이의 합

예 | m 70 cm+2 m 50 cm의 계산

```
      |
      | m  70 cm
  +   2 m  50 cm
      20 cm
```
➡
```
      |
      | m  70 cm
  +   2 m  50 cm
      4 m  20 cm
```

cm끼리의 합이 100이거나 100보다 크면 100 cm를 | m로 받아올림해

🐙 계산을 하세요.

1
```
      |
      2 m   50  cm
  +   2 m   70  cm
   ☐  m  ☐   cm
```

2
```
   ☐
      3 m   60  cm
  +   2 m   70  cm
   ☐  m  ☐   cm
```

3
```
   ☐
      4 m   30  cm
  +   | m   80  cm
   ☐  m  ☐   cm
```

4
```
   ☐
      2 m   60  cm
  +   4 m   80  cm
   ☐  m  ☐   cm
```

5
```
   ☐
      5 m   85  cm
  +   2 m   40  cm
   ☐  m  ☐   cm
```

6
```
   ☐
      5 m   57  cm
  +   3 m   63  cm
   ☐  m  ☐   cm
```

🐙 계산을 하세요.

7 1 m 65 cm＋2 m 50 cm
= ☐ m ☐ cm

8 2 m 70 cm＋1 m 40 cm
= ☐ m ☐ cm

9 2 m 80 cm＋4 m 45 cm
= ☐ m ☐ cm

10 3 m 25 cm＋2 m 90 cm
= ☐ m ☐ cm

11 3 m 75 cm＋4 m 42 cm
= ☐ m ☐ cm

12 4 m 68 cm＋2 m 74 cm
= ☐ m ☐ cm

13 4 m 53 cm＋3 m 85 cm
= ☐ m ☐ cm

14 2 m 26 cm＋6 m 90 cm
= ☐ m ☐ cm

15 5 m 45 cm＋2 m 67 cm
= ☐ m ☐ cm

16 5 m 72 cm＋3 m 55 cm
= ☐ m ☐ cm

17 4 m 48 cm＋2 m 68 cm
= ☐ m ☐ cm

18 6 m 75 cm＋2 m 60 cm
= ☐ m ☐ cm

19 3 m 25 cm＋5 m 85 cm
= ☐ m ☐ cm

20 7 m 66 cm＋1 m 59 cm
= ☐ m ☐ cm

◎ 3단계 길이의 계산

3. 받아올림이 있는 길이의 합

🐙 계산을 하세요.

1
```
    1 m   50 cm
+   5 m   70 cm
```

2
```
    1 m   45 cm
+   3 m   70 cm
```

3
```
    2 m   73 cm
+   4 m   59 cm
```

4
```
    2 m   85 cm
+   3 m   74 cm
```

5
```
    2 m   55 cm
+   5 m   85 cm
```

6
```
    3 m   65 cm
+   1 m   58 cm
```

7
```
    3 m   73 cm
+   8 m   67 cm
```

8
```
    4 m   24 cm
+   6 m   85 cm
```

9
```
    4 m   68 cm
+   6 m   59 cm
```

10
```
    5 m   45 cm
+   8 m   77 cm
```

🐙 빈칸에 두 길이의 합을 써넣으세요.

11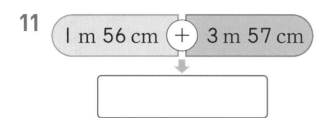

12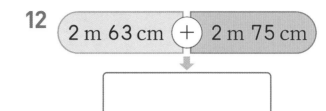

13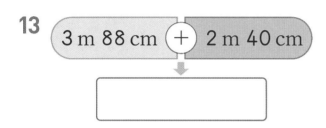

14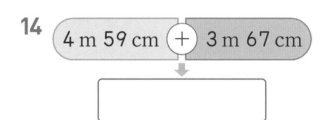

15 2 m 46 cm (+) 3 m 85 cm

16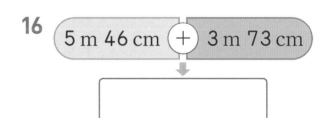

17 5 m 80 cm (+) 5 m 54 cm

18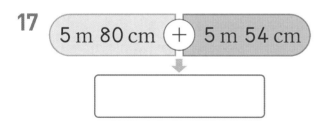

19 7 m 48 cm (+) 6 m 79 cm

20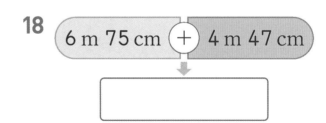

🎯 **3단계** 길이의 계산

3. 받아올림이 있는 길이의 합

🐙 계산을 하세요.

1 　 1 m　60 cm
　　 +　4 m　80 cm

2 　 1 m　43 cm
　　 +　7 m　69 cm

3 　 2 m　62 cm
　　 +　5 m　78 cm

4 　 2 m　37 cm
　　 +　6 m　96 cm

5 　 3 m　46 cm
　　 +　4 m　72 cm

6 　 5 m　85 cm
　　 +　3 m　32 cm

7 　 4 m　34 cm
　　 +　6 m　79 cm

8 　 4 m　82 cm
　　 +　8 m　40 cm

9 　 6 m　65 cm
　　 +　9 m　84 cm

10 　 5 m　34 cm
　　 +　7 m　85 cm

🐙 빈 곳에 두 길이의 합을 써넣으세요.

11

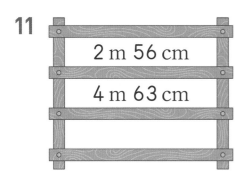

2 m 56 cm

4 m 63 cm

12

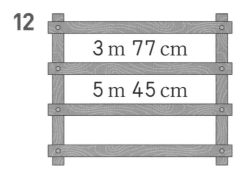

3 m 77 cm

5 m 45 cm

13

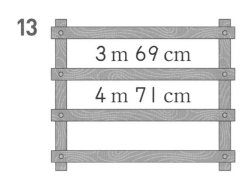

3 m 69 cm

4 m 71 cm

14

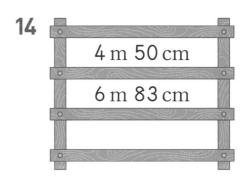

4 m 50 cm

6 m 83 cm

15

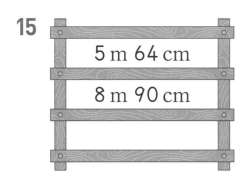

5 m 64 cm

8 m 90 cm

16

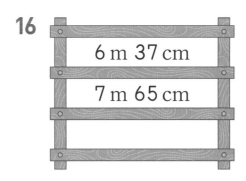

6 m 37 cm

7 m 65 cm

17

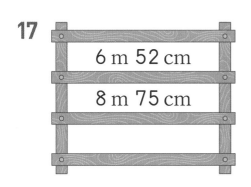

6 m 52 cm

8 m 75 cm

18

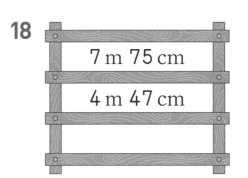

7 m 75 cm

4 m 47 cm

3. 받아올림이 있는 길이의 합

🐙 계산을 하세요.

1 1 m 42 cm + 3 m 75 cm

2 1 m 56 cm + 6 m 73 cm

3 2 m 35 cm + 3 m 84cm

4 2 m 73 cm + 6 m 58 cm

5 4 m 35 cm + 2 m 77 cm

6 3 m 58 cm + 4 m 85 cm

7 3 m 23 cm + 8 m 96 cm

8 2 m 46 cm + 8 m 63 cm

9 4 m 64 cm + 7 m 74 cm

10 4 m 48 cm + 9 m 68 cm

11 5 m 75 cm + 8 m 85 cm

12 5 m 67 cm + 5 m 43 cm

13 6 m 45 cm + 2 m 73 cm

14 6 m 68 cm + 7 m 84 cm

🐙 두 막대의 길이의 합을 구하세요.

15   2 m 70 cm   2 m 50 cm

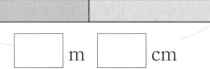

[ ] m   [ ] cm

16   2 m 40 cm   3 m 80 cm

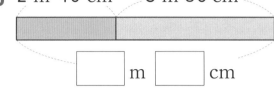

[ ] m   [ ] cm

17   3 m 55 cm   3 m 70 cm

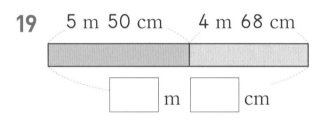

[ ] m   [ ] cm

18   4 m 69 cm   3 m 72 cm

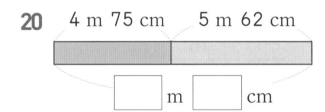

[ ] m   [ ] cm

19   5 m 50 cm   4 m 68 cm

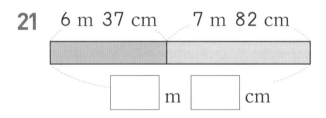

[ ] m   [ ] cm

20   4 m 75 cm   5 m 62 cm

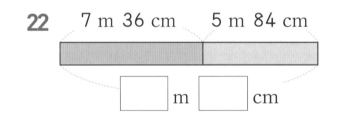

[ ] m   [ ] cm

21   6 m 37 cm   7 m 82 cm

[ ] m   [ ] cm

22   7 m 36 cm   5 m 84 cm

[ ] m   [ ] cm

💡 생활 속 연산

아린이와 준서는 멀리뛰기를 했습니다. 두 사람이 뛴 거리는 모두 몇 m 몇 cm인지 구하세요.

 나는 1 m 53 cm 뛰었어.

아린

나는 1 m 87 cm 뛰었지.

준서

[ ] m   [ ] cm

◎ 3단계 길이의 계산

4. 받아내림이 없는 길이의 차

예 4 m 60 cm − 2 m 40 cm의 계산

```
    4 m   60 cm              4 m   60 cm
  − 2 m   40 cm      ➡     − 2 m   40 cm
          20 cm            2 m   20 cm
```

m는 m끼리,
cm는 cm끼리
빼야 해!

🐙 계산을 하세요.

m는 m끼리, cm는 cm끼리
자리를 맞추어 써!

1
```
    3  m   70  cm
  − 1  m   40  cm
    [2] m  [30] cm
```

2
```
    4  m   60  cm
  − 1  m   50  cm
    [ ] m  [ ] cm
```

3
```
    4  m   50  cm
  − 3  m   10  cm
    [ ] m  [ ] cm
```

4
```
    5  m   40  cm
  − 2  m   30  cm
    [ ] m  [ ] cm
```

5
```
    6  m   70  cm
  − 3  m   45  cm
    [ ] m  [ ] cm
```

6
```
    7  m   48  cm
  − 5  m   28  cm
    [ ] m  [ ] cm
```

🐙 계산을 하세요.

7   2 m 70 cm − 1 m 20 cm
= ☐ m ☐ cm

8   3 m 80 cm − 2 m 70 cm
= ☐ m ☐ cm

9   3 m 45 cm − 2 m 10 cm
= ☐ m ☐ cm

10   4 m 65 cm − 1 m 40 cm
= ☐ m ☐ cm

11   4 m 70 cm − 3 m 41 cm
= ☐ m ☐ cm

12   5 m 63 cm − 2 m 43 cm
= ☐ m ☐ cm

13   5 m 79 cm − 3 m 61 cm
= ☐ m ☐ cm

14   6 m 50 cm − 4 m 25 cm
= ☐ m ☐ cm

15   6 m 74 cm − 3 m 47 cm
= ☐ m ☐ cm

16   7 m 86 cm − 5 m 65 cm
= ☐ m ☐ cm

17   7 m 58 cm − 3 m 29 cm
= ☐ m ☐ cm

18   8 m 62 cm − 1 m 35 cm
= ☐ m ☐ cm

19   8 m 70 cm − 4 m 55 cm
= ☐ m ☐ cm

20   9 m 43 cm − 6 m 26 cm
= ☐ m ☐ cm

3단계 길이의 계산

4. 받아내림이 없는 길이의 차

🐙 계산을 하세요.

1
$$\begin{array}{r} 2\ \text{m} \quad 50\ \text{cm} \\ -\ 1\ \text{m} \quad 20\ \text{cm} \\ \hline \end{array}$$

2
$$\begin{array}{r} 3\ \text{m} \quad 65\ \text{cm} \\ -\ 2\ \text{m} \quad 20\ \text{cm} \\ \hline \end{array}$$

3
$$\begin{array}{r} 4\ \text{m} \quad 57\ \text{cm} \\ -\ 2\ \text{m} \quad 23\ \text{cm} \\ \hline \end{array}$$

4
$$\begin{array}{r} 4\ \text{m} \quad 78\ \text{cm} \\ -\ 3\ \text{m} \quad 45\ \text{cm} \\ \hline \end{array}$$

5
$$\begin{array}{r} 5\ \text{m} \quad 55\ \text{cm} \\ -\ 1\ \text{m} \quad 38\ \text{cm} \\ \hline \end{array}$$

6
$$\begin{array}{r} 5\ \text{m} \quad 75\ \text{cm} \\ -\ 4\ \text{m} \quad 50\ \text{cm} \\ \hline \end{array}$$

7
$$\begin{array}{r} 6\ \text{m} \quad 46\ \text{cm} \\ -\ 3\ \text{m} \quad 23\ \text{cm} \\ \hline \end{array}$$

8
$$\begin{array}{r} 6\ \text{m} \quad 78\ \text{cm} \\ -\ 4\ \text{m} \quad 57\ \text{cm} \\ \hline \end{array}$$

9
$$\begin{array}{r} 7\ \text{m} \quad 54\ \text{cm} \\ -\ 2\ \text{m} \quad 48\ \text{cm} \\ \hline \end{array}$$

10
$$\begin{array}{r} 7\ \text{m} \quad 58\ \text{cm} \\ -\ 5\ \text{m} \quad 35\ \text{cm} \\ \hline \end{array}$$

🐙 계산을 하세요.

11 3 m 64 cm

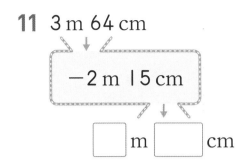

−2 m 15 cm

☐ m ☐ cm

12 4 m 43 cm

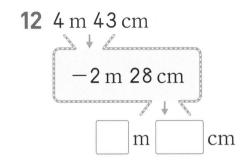

−2 m 28 cm

☐ m ☐ cm

13 4 m 68 cm

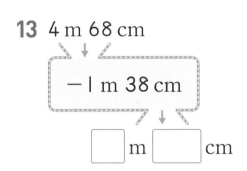

−1 m 38 cm

☐ m ☐ cm

14 5 m 70 cm

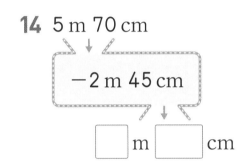

−2 m 45 cm

☐ m ☐ cm

15 6 m 58 cm

−3 m 15 cm

☐ m ☐ cm

16 6 m 79 cm

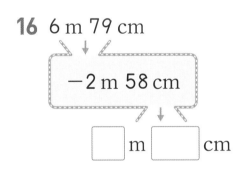

−2 m 58 cm

☐ m ☐ cm

17 7 m 65 cm

−3 m 28 cm

☐ m ☐ cm

18 7 m 80 cm

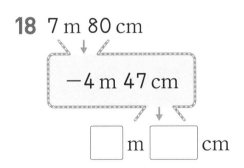

−4 m 47 cm

☐ m ☐ cm

● 3단계 길이의 계산

4. 받아내림이 없는 길이의 차

🐙 계산을 하세요.

1　　3 m　63 cm
　　−　1 m　10 cm
　────────────

2　　4 m　59 cm
　　−　2 m　15 cm
　────────────

3　　4 m　64 cm
　　−　3 m　31 cm
　────────────

4　　5 m　49 cm
　　−　1 m　15 cm
　────────────

5　　5 m　78 cm
　　−　4 m　38 cm
　────────────

6　　6 m　80 cm
　　−　2 m　46 cm
　────────────

7　　6 m　78 cm
　　−　4 m　29 cm
　────────────

8　　7 m　45 cm
　　−　3 m　36 cm
　────────────

9　　7 m　67 cm
　　−　6 m　25 cm
　────────────

10　　8 m　50 cm
　　−　3 m　35 cm
　────────────

🐙 계산을 하세요.

11
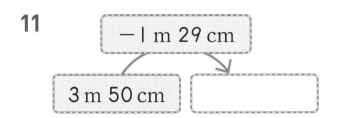

12
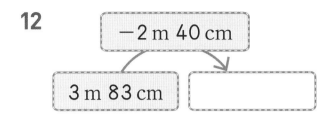

13
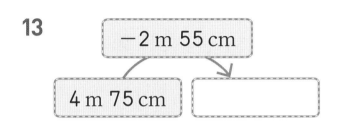

14
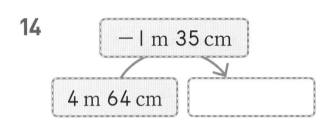

15
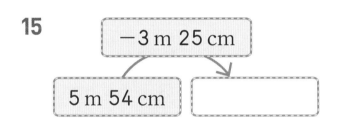

16
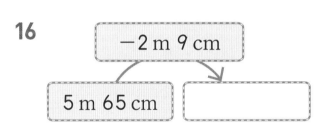

17
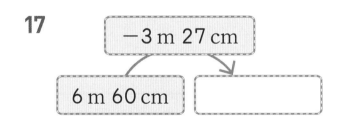

18
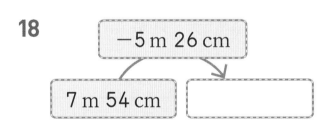

19
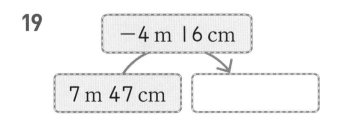

20
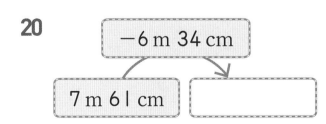

3단계 길이의 계산

4. 받아내림이 없는 길이의 차

🐙 계산을 하세요.

1 3 m 73 cm — 1 m 20 cm

2 3 m 65 cm — 2 m 35 cm

3 4 m 73 cm — 1 m 28 cm

4 4 m 87 cm — 2 m 25 cm

5 5 m 67 cm — 3 m 55 cm

6 5 m 78 cm — 1 m 54 cm

7 6 m 45 cm — 1 m 18 cm

8 6 m 78 cm — 3 m 54 cm

9 6 m 89 cm — 5 m 47 cm

10 7 m 42 cm — 2 m 25 cm

11 7 m 66 cm — 4 m 56 cm

12 7 m 80 cm — 5 m 54 cm

13 8 m 56 cm — 1 m 39 cm

14 8 m 58 cm — 3 m 52 cm

🐙 빈칸에 두 길이의 차를 써넣으세요.

15

3 m 65 cm	1 m 32 cm

16

4 m 70 cm	1 m 25 cm

17

4 m 58 cm	2 m 30 cm

18

5 m 85 cm	3 m 45 cm

19

6 m 67 cm	1 m 32 cm

20

6 m 75 cm	3 m 48 cm

21

7 m 78 cm	5 m 46 cm

22

8 m 60 cm	4 m 17 cm

💡 **생활 속 연산**

어느 날 오후 5시에 혜리의 키와 그림자의 길이를 재었습니다. 혜리의 키와 그림자의 길이의 차는 몇 m 몇 cm인지 구하세요.

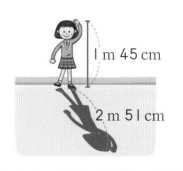

1 m 45 cm

2 m 51 cm

[ ] m [ ] cm

◎ 3단계 길이의 계산

5. 받아내림이 있는 길이의 차

예 5 m 30 cm − 3 m 60 cm의 계산

cm끼리 뺄 수 없으면
1 m를 100 cm로
받아내림해!

```
     4      100                    4      100
     5 m   30 cm                   5 m   30 cm
 −   3 m   60 cm        ➡      −   3 m   60 cm
 ─────────────────             ─────────────────
            70 cm                  1 m   70 cm
```

🐙 계산을 하세요.

1

```
         □          100
         3    m    40   cm
     −   1    m    60   cm
     ────────────────────
         □    m    □    cm
```

2

```
         □                □
         4    m    50   cm
     −   1    m    70   cm
     ────────────────────
         □    m    □    cm
```

3

```
         □                □
         4    m    32   cm
     −   2    m    50   cm
     ────────────────────
         □    m    □    cm
```

4

```
         □                □
         5    m    30   cm
     −   3    m    65   cm
     ────────────────────
         □    m    □    cm
```

5

```
         □                □
         6    m    54   cm
     −   2    m    72   cm
     ────────────────────
         □    m    □    cm
```

6

```
         □                □
         6    m    16   cm
     −   4    m    88   cm
     ────────────────────
         □    m    □    cm
```

🐙 계산을 하세요.

7　3 m 35 cm − 1 m 50 cm
= ☐ m ☐ cm

8　4 m 13 cm − 2 m 45 cm
= ☐ m ☐ cm

9　5 m 21 cm − 1 m 45 cm
= ☐ m ☐ cm

10　5 m 40 cm − 3 m 55 cm
= ☐ m ☐ cm

11　6 m 38 cm − 3 m 63 cm
= ☐ m ☐ cm

12　6 m 40 cm − 4 m 72 cm
= ☐ m ☐ cm

13　6 m 54 cm − 3 m 80 cm
= ☐ m ☐ cm

14　7 m 23 cm − 4 m 45 cm
= ☐ m ☐ cm

15　7 m 56 cm − 2 m 84 cm
= ☐ m ☐ cm

16　7 m 47 cm − 5 m 77 cm
= ☐ m ☐ cm

17　8 m 33 cm − 1 m 56 cm
= ☐ m ☐ cm

18　8 m 51 cm − 5 m 75 cm
= ☐ m ☐ cm

19　8 m 60 cm − 4 m 87 cm
= ☐ m ☐ cm

20　9 m 23 cm − 2 m 76 cm
= ☐ m ☐ cm

5. 받아내림이 있는 길이의 차

🐙 계산을 하세요.

1
    3 m 20 cm
− 1 m 60 cm

2
    4 m 34 cm
− 1 m 53 cm

3
    4 m 56 cm
− 2 m 75 cm

4
    5 m 15 cm
− 2 m 68 cm

5
    5 m 30 cm
− 3 m 45 cm

6
    6 m 10 cm
− 2 m 38 cm

7
    6 m 38 cm
− 4 m 65 cm

8
    7 m 22 cm
− 2 m 70 cm

9
    7 m 62 cm
− 5 m 86 cm

10
    9 m   8 cm
− 3 m 20 cm

🐙 계산을 하세요.

11
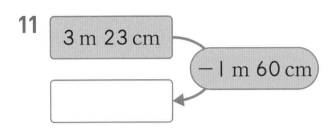
3 m 23 cm
−1 m 60 cm

12
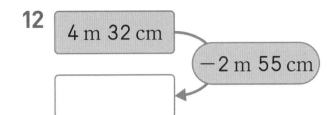
4 m 32 cm
−2 m 55 cm

13
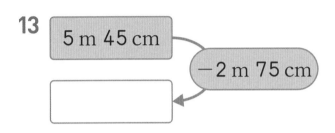
5 m 45 cm
−2 m 75 cm

14
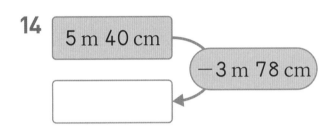
5 m 40 cm
−3 m 78 cm

15
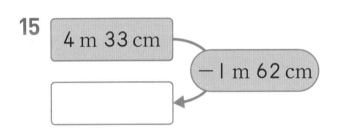
4 m 33 cm
−1 m 62 cm

16
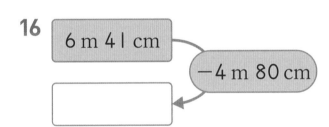
6 m 41 cm
−4 m 80 cm

17
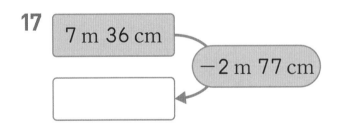
7 m 36 cm
−2 m 77 cm

18
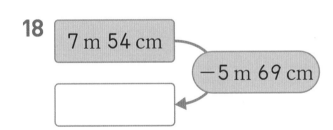
7 m 54 cm
−5 m 69 cm

19
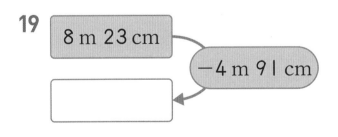
8 m 23 cm
−4 m 91 cm

20
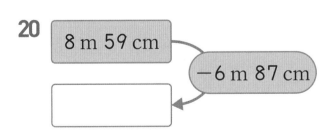
8 m 59 cm
−6 m 87 cm

◎ 3단계 길이의 계산

5. 받아내림이 있는 길이의 차

🐙 계산을 하세요.

1
```
   3 m  45 cm
 − 1 m  70 cm
```

2
```
   4 m  53 cm
 − 2 m  90 cm
```

3
```
   4 m  20 cm
 − 3 m  85 cm
```

4
```
   5 m  14 cm
 − 1 m  78 cm
```

5
```
   5 m  63 cm
 − 3 m  80 cm
```

6
```
   6 m  32 cm
 − 2 m  75 cm
```

7
```
   6 m  47 cm
 − 3 m  95 cm
```

8
```
   7 m  17 cm
 − 3 m  80 cm
```

9
```
   7 m  54 cm
 − 4 m  66 cm
```

10
```
   7 m  62 cm
 − 5 m  90 cm
```

🐙 빈칸에 두 길이의 차를 써넣으세요.

11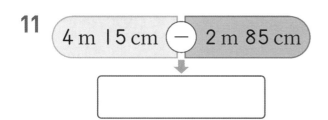

12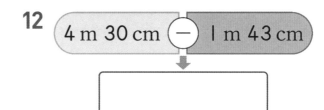

13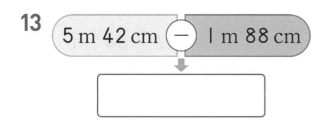

14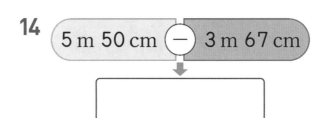

15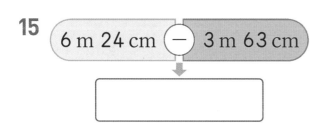

16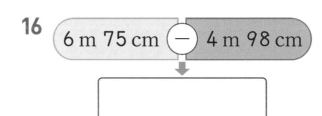

17 7 m 47 cm ⊖ 2 m 85 cm

18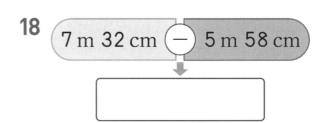

19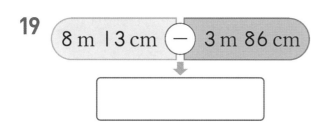

20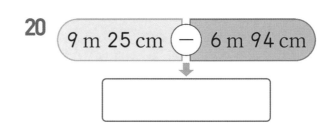

3단계 길이의 계산

5. 받아내림이 있는 길이의 차

🐙 계산을 하세요.

1 3 m 23 cm − 1 m 60 cm

2 2 m 40 cm − 1 m 67 cm

3 4 m 26 cm − 1 m 57 cm

4 4 m 43 cm − 2 m 84 cm

5 5 m 15 cm − 2 m 47 cm

6 5 m 38 cm − 2 m 74 cm

7 6 m 46 cm − 3 m 87 cm

8 6 m 34 cm − 1 m 78 cm

9 6 m 42 cm − 3 m 95 cm

10 7 m 28 cm − 2 m 64 cm

11 7 m 35 cm − 4 m 78 cm

12 8 m 40 cm − 5 m 65 cm

13 7 m 32 cm − 3 m 74 cm

14 9 m 48 cm − 2 m 80 cm

🐙 두 막대의 길이의 차를 구하세요.

15
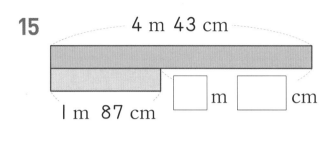
4 m 43 cm
1 m 87 cm
☐ m ☐ cm

16
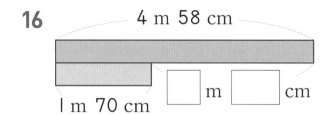
4 m 58 cm
1 m 70 cm
☐ m ☐ cm

17
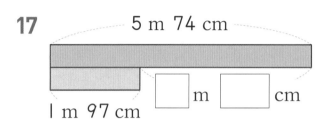
5 m 74 cm
1 m 97 cm
☐ m ☐ cm

18
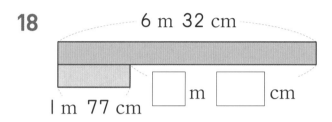
6 m 32 cm
1 m 77 cm
☐ m ☐ cm

19
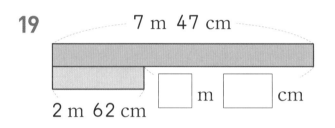
7 m 47 cm
2 m 62 cm
☐ m ☐ cm

20
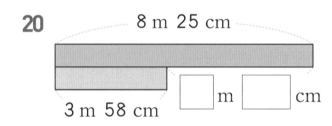
8 m 25 cm
3 m 58 cm
☐ m ☐ cm

21
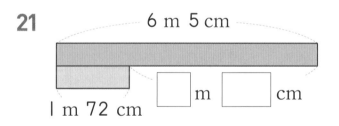
6 m 5 cm
1 m 72 cm
☐ m ☐ cm

22
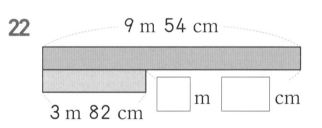
9 m 54 cm
3 m 82 cm
☐ m ☐ cm

💡 생활 속 연산

유하네 집에서 편의점까지는 50 m 32 cm이고, 문구점까지는 73 m 27 cm입니다. 유하네 집에서 문구점은 편의점보다 몇 m 몇 cm 더 먼지 구하세요.

유하네 집

편의점　50 m 32 cm　　73 m 27 cm　문구점

☐ m ☐ cm

🎯 3단계 길이의 계산

마무리 연산

🐙 계산을 하세요.

1   1 m   33 cm
    +   2 m   48 cm

2   2 m   52 cm
    +   5 m   28 cm

3   4 m   17 cm
    +   2 m   35 cm

4   3 m   16 cm
    +   3 m   38 cm

5   3 m   59 cm
    +   5 m   71 cm

6   2 m   78 cm
    +   4 m   67 cm

7   4 m   75 cm
    +   6 m   55 cm

8   5 m   43 cm
    +   5 m   58 cm

9   8 m   43 cm
    +   4 m   78 cm

10   9 m   30 cm
    +   7 m   87 cm

🐙 계산을 하세요.

11 1 m 23 cm＋2 m 48 cm

12 1 m 14 cm＋3 m 77 cm

13 2 m 42 cm＋4 m 19 cm

14 2 m 34 cm＋7 m 46 cm

15 3 m 26 cm＋3 m 53 cm

16 6 m 34 cm＋2 m 26 cm

17 5 m 48 cm＋2 m 97 cm

18 3 m 92 cm＋3 m 46 cm

19 3 m 79 cm＋9 m 65 cm

20 4 m 76 cm＋5 m 34 cm

21 8 m 83 cm＋3 m 96 cm

22 5 m 70 cm＋6 m 53 cm

23 5 m 71 cm＋7 m 65 cm

24 9 m 54 cm＋6 m 75 cm

🎯 3단계 길이의 계산

마무리 연산

🐙 계산을 하세요.

1
  3 m 54 cm
 − 1 m 32 cm

2
  4 m 83 cm
 − 2 m 56 cm

3
  6 m 55 cm
 − 2 m 28 cm

4
  5 m 76 cm
 − 1 m 34 cm

5
  5 m 34 cm
 − 3 m 79 cm

6
  4 m 22 cm
 − 3 m 65 cm

7
  8 m 54 cm
 − 2 m 27 cm

8
  8 m 8 cm
 − 5 m 32 cm

9
  9 m 60 cm
 − 4 m 55 cm

10
  9 m 57 cm
 − 2 m 95 cm

🐙 계산을 하세요.

11   3 m 65 cm — 1 m 34 cm

12   3 m 54 cm — 2 m 27 cm

13   4 m 65 cm — 1 m 43 cm

14   4 m 88 cm — 2 m 62 cm

15   4 m 90 cm — 3 m 72 cm

16   5 m 85 cm — 1 m 63 cm

17   5 m 55 cm — 3 m 78 cm

18   5 m 62 cm — 2 m 89 cm

19   6 m 17 cm — 2 m 43 cm

20   9 m 28 cm — 5 m 64 cm

21   7 m 35 cm — 4 m 78 cm

22   7 m 56 cm — 1 m 80 cm

23   9 m 45 cm — 2 m 68 cm

24   8 m 53 cm — 3 m 67 cm

4

시각과 시간

계산 실수를 하지 않게
집중해서 풀어 보자!

학습 결과와 시간을 써 보세요!

학습 내용	학습 회차	맞힌 개수/걸린 시간
1. 시간과 분의 관계	DAY 01	/
	DAY 02	/
	DAY 03	/
	DAY 04	/
2. 하루의 시간	DAY 05	/
	DAY 06	/
	DAY 07	/
	DAY 08	/
3. 1주일	DAY 09	/
	DAY 10	/
	DAY 11	/
	DAY 12	/
4. 1년	DAY 13	/
	DAY 14	/
	DAY 15	/
	DAY 16	/
마무리 연산	DAY 17	/
	DAY 18	/

기초력 상승!

하나 둘! 하나 둘!

🎯 4단계 시각과 시간

1. 시간과 분의 관계

예 1시간 30분을 몇 분으로 나타내기

1시간＝60분

1시간 30분＝1시간＋30분
＝60분＋30분
＝90분

시계의 긴바늘이
한 바퀴 도는 데
60분의 시간이 걸려!

🐙 ☐ 안에 알맞은 수를 써넣으세요.

1 1시간＝ 60 분

2 1시간 10분＝60분＋10분
＝ ☐ 분

3 1시간 25분＝60분＋ ☐ 분
＝ ☐ 분

4 1시간 20분＝60분＋ ☐ 분
＝ ☐ 분

5 1시간 45분＝ ☐ 분＋45분
＝ ☐ 분

6 1시간 50분＝ ☐ 분＋50분
＝ ☐ 분

7 2시간＝60분＋ ☐ 분
＝ ☐ 분

8 2시간 5분＝60분＋ ☐ 분＋5분
＝ ☐ 분

🐙 같은 시간이 되도록 ☐ 안에 알맞은 수를 써넣으세요.

9 ⌐1시간 5분⌐ ➡ ☐ 분   **10** ⌐1시간 15분⌐ ➡ ☐ 분

11 ⌐1시간 35분⌐ ➡ ☐ 분   **12** ⌐1시간 40분⌐ ➡ ☐ 분

13 ⌐2시간 10분⌐ ➡ ☐ 분   **14** ⌐2시간 25분⌐ ➡ ☐ 분

15 ⌐2시간 40분⌐ ➡ ☐ 분   **16** ⌐2시간 50분⌐ ➡ ☐ 분

17 ⌐3시간 35분⌐ ➡ ☐ 분   **18** ⌐3시간 40분⌐ ➡ ☐ 분

19 ⌐4시간⌐ ➡ ☐ 분   **20** ⌐4시간 25분⌐ ➡ ☐ 분

21 ⌐5시간⌐ ➡ ☐ 분   **22** ⌐5시간 35분⌐ ➡ ☐ 분

1. 시간과 분의 관계

🐙 ☐ 안에 알맞은 수를 써넣으세요.

1 1시간 12분= ☐ 분

2 1시간 23분= ☐ 분

3 1시간 37분= ☐ 분

4 1시간 40분= ☐ 분

5 1시간 44분= ☐ 분

6 1시간 51분= ☐ 분

7 2시간 10분= ☐ 분

8 2시간 22분= ☐ 분

9 2시간 34분= ☐ 분

10 2시간 56분= ☐ 분

11 3시간 5분= ☐ 분

12 3시간 19분= ☐ 분

13 3시간 44분= ☐ 분

14 4시간 10분= ☐ 분

🐙 같은 시간이 되도록 ☐ 안에 알맞은 수를 써넣으세요.

15 1시간 7분 = ☐ 분

16 1시간 16분 = ☐ 분

17 1시간 34분 = ☐ 분

18 1시간 55분 = ☐ 분

19 2시간 9분 = ☐ 분

20 2시간 28분 = ☐ 분

21 2시간 32분 = ☐ 분

22 2시간 48분 = ☐ 분

23 3시간 15분 = ☐ 분

24 3시간 24분 = ☐ 분

25 3시간 40분 = ☐ 분

26 4시간 37분 = ☐ 분

◎ 4단계 시각과 시간

1. 시간과 분의 관계

예 | 50분을 몇 시간 몇 분으로 나타내기

60분=1시간

150분=60분+60분+30분
　　　=1시간+1시간+30분
　　　=2시간+30분
　　　=2시간 30분

60분보다 긴 시간은
60분씩 몇 번을
더했는지 생각해!

🐙 ☐ 안에 알맞은 수를 써넣으세요.

1　60분=☐ 시간

2　70분=60분+☐ 분
　　　　=☐ 시간 ☐ 분

3　80분=60분+☐ 분
　　　　=☐ 시간 ☐ 분

4　90분=60분+☐ 분
　　　　=☐ 시간 ☐ 분

5　105분=☐ 분+45분
　　　　=☐ 시간 ☐ 분

6　110분=☐ 분+50분
　　　　=☐ 시간 ☐ 분

7　120분=60분+☐ 분
　　　　=☐ 시간

8　130분=60분+60분+☐ 분
　　　　=☐ 시간 ☐ 분

🐙 같은 시간이 되도록 ☐ 안에 알맞은 수를 써넣으세요.

9 85분 ➡ ☐시간 ☐분 　　　**10** 95분 ➡ ☐시간 ☐분

11 100분 ➡ ☐시간 ☐분 　　　**12** 115분 ➡ ☐시간 ☐분

13 135분 ➡ ☐시간 ☐분 　　　**14** 140분 ➡ ☐시간 ☐분

15 165분 ➡ ☐시간 ☐분 　　　**16** 170분 ➡ ☐시간 ☐분

17 195분 ➡ ☐시간 ☐분 　　　**18** 200분 ➡ ☐시간 ☐분

19 215분 ➡ ☐시간 ☐분 　　　**20** 230분 ➡ ☐시간 ☐분

21 250분 ➡ ☐시간 ☐분 　　　**22** 265분 ➡ ☐시간 ☐분

1. 시간과 분의 관계

🐙 ☐ 안에 알맞은 수를 써넣으세요.

1 65분=☐시간☐분

2 72분=☐시간☐분

3 89분=☐시간☐분

4 99분=☐시간☐분

5 104분=☐시간☐분

6 117분=☐시간☐분

7 125분=☐시간☐분

8 137분=☐시간☐분

9 151분=☐시간☐분

10 163분=☐시간☐분

11 179분=☐시간☐분

12 182분=☐시간☐분

13 197분=☐시간☐분

14 205분=☐시간☐분

🐙   [   ]에 적힌 시간과 같은 시간을 찾아 색칠하세요.

15

77분

1시간 17분	1시간 27분

16

96분

1시간 6분	1시간 36분

17

134분

2시간 14분	2시간 24분

18

159분

2시간 39분	3시간 39분

19

235분

3시간 45분	3시간 55분

20

254분

2시간 54분	4시간 14분

21

327분

5시간 27분	5시간 17분

22

400분

4시간	6시간 40분

💡 생활 속 연산

유민이가 오늘 본 영화의 상영 시간이 132분이라고 합니다. 영화 상영 시간은 몇 시간 몇 분인지 구하세요.

[   ]시간 [   ]분

◎ 4단계 시각과 시간

2. 하루의 시간

예 | 일 | 3시간을 몇 시간으로 나타내기

| 일=24시간

| 일 | 3시간 = |일 + | 3시간
         = 24시간 + | 3시간
         = 37시간

24시간 중 전날 밤 | 2시부터 낮 | 2시까지 | 2시간은 오전, 낮 | 2시부터 밤 | 2시까지는 오후라고 해.

🐙 ☐ 안에 알맞은 수를 써넣으세요.

1 | 일 = ☐ 24 ☐ 시간

2 | 일 6시간 = ☐ 시간 + 6시간
        = ☐ 시간

3 | 일 | 0시간 = ☐ 시간 + | 0시간
        = ☐ 시간

4 | 일 | 5시간 = ☐ 시간 + | 5시간
        = ☐ 시간

5 | 일 20시간 = 24시간 + ☐ 시간
        = ☐ 시간

6 2일 = 24시간 + ☐ 시간
        = ☐ 시간

7 2일 5시간
        = 24시간 + 24시간 + ☐ 시간
        = ☐ 시간

8 2일 | 2시간
        = 24시간 + ☐ 시간 + | 2시간
        = ☐ 시간

🐙 같은 시간이 되도록 ☐ 안에 알맞은 수를 써넣으세요.

9 1일 9시간 = ☐ 시간

10 1일 12시간 = ☐ 시간

11 2일 2시간 = ☐ 시간

12 2일 7시간 = ☐ 시간

13 2일 15시간 = ☐ 시간

14 3일 4시간 = ☐ 시간

15 3일 10시간 = ☐ 시간

16 3일 21시간 = ☐ 시간

17 4일 = ☐ 시간

18 4일 6시간 = ☐ 시간

19 5일 = ☐ 시간

20 5일 11시간 = ☐ 시간

2. 하루의 시간

🐙 ☐ 안에 알맞은 수를 써넣으세요.

1 1일 5시간 = ☐ 시간

2 1일 8시간 = ☐ 시간

3 1일 13시간 = ☐ 시간

4 1일 19시간 = ☐ 시간

5 2일 1시간 = ☐ 시간

6 2일 6시간 = ☐ 시간

7 2일 15시간 = ☐ 시간

8 2일 21시간 = ☐ 시간

9 3일 3시간 = ☐ 시간

10 3일 9시간 = ☐ 시간

11 4일 1시간 = ☐ 시간

12 4일 18시간 = ☐ 시간

13 5일 10시간 = ☐ 시간

14 6일 = ☐ 시간

🐙 ☐ 안에 알맞은 수를 써넣으세요.

15 1일 2시간 ➡ ☐ 시간

16 1일 16시간 ➡ ☐ 시간

17 1일 11시간 ➡ ☐ 시간

18 1일 22시간 ➡ ☐ 시간

19 2일 2시간 ➡ ☐ 시간

20 2일 4시간 ➡ ☐ 시간

21 2일 9시간 ➡ ☐ 시간

22 2일 16시간 ➡ ☐ 시간

23 3일 1시간 ➡ ☐ 시간

24 3일 6시간 ➡ ☐ 시간

25 3일 12시간 ➡ ☐ 시간

26 3일 21시간 ➡ ☐ 시간

◎4단계 시각과 시간

2. 하루의 시간

예 67시간을 며칠 몇 시간으로 나타내기

24시간=1일

67시간=24시간+24시간+19시간
　　　=1일+1일+19시간
　　　=2일+19시간
　　　=2일 19시간

24시간보다 긴 시간은 24시간씩 몇 번을 더했는지 생각해!

□ 안에 알맞은 수를 써넣으세요.

1　24시간=□1일

2　27시간=24시간+□시간
　　　=□일□시간

3　30시간=24시간+□시간
　　　=□일□시간

4　35시간=24시간+□시간
　　　=□일□시간

5　43시간=24시간+□시간
　　　=□일□시간

6　48시간=24시간+□시간
　　　=□일

7　50시간
　　=24시간+24시간+□시간
　　=□일□시간

8　58시간
　　=24시간+24시간+□시간
　　=□일□시간

🐙 ☐ 안에 알맞은 수를 써넣으세요.

9
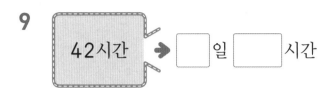
42시간 ➜ ☐ 일 ☐ 시간

10

53시간 ➜ ☐ 일 ☐ 시간

11
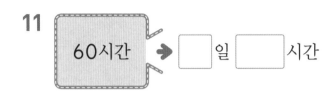
60시간 ➜ ☐ 일 ☐ 시간

12
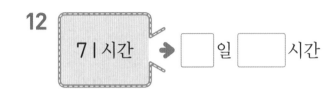
71시간 ➜ ☐ 일 ☐ 시간

13
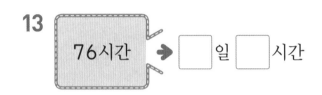
76시간 ➜ ☐ 일 ☐ 시간

14
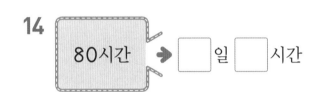
80시간 ➜ ☐ 일 ☐ 시간

15
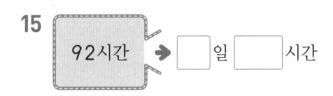
92시간 ➜ ☐ 일 ☐ 시간

16

100시간 ➜ ☐ 일 ☐ 시간

17
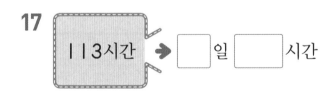
113시간 ➜ ☐ 일 ☐ 시간

18

120시간 ➜ ☐ 일

19
128시간 ➜ ☐ 일 ☐ 시간

20
135시간 ➜ ☐ 일 ☐ 시간

🎯 4단계 시각과 시간

2. 하루의 시간

🐙 ☐ 안에 알맞은 수를 써넣으세요.

1 25시간=☐일☐시간

2 31시간=☐일☐시간

3 37시간=☐일☐시간

4 40시간=☐일☐시간

5 49시간=☐일☐시간

6 53시간=☐일☐시간

7 62시간=☐일☐시간

8 70시간=☐일☐시간

9 74시간=☐일☐시간

10 84시간=☐일☐시간

11 90시간=☐일☐시간

12 106시간=☐일☐시간

13 110시간=☐일☐시간

14 132시간=☐일☐시간

🐙 바르게 나타낸 사람은 ○표, 잘못 나타낸 사람은 ×표 하세요.

15

26시간
=1일 2시간
(　　　　)

16

32시간
=1일 2시간
(　　　　)

17

42시간
=1일 18시간
(　　　　)

18

50시간
=2일 10시간
(　　　　)

19

64시간
=2일 16시간
(　　　　)

20

73시간
=3일 1시간
(　　　　)

21

81시간
=3일 9시간
(　　　　)

22

98시간
=4일 6시간
(　　　　)

23

100시간
=4일 10시간
(　　　　)

💡 **생활 속 연산**

귤희가 다니는 문화센터에서는 60시간 동안 손 그림 그리기 수업을 들으면 수료증을 받을 수 있다고 합니다. 수료증을 받을 수 있는 60시간은 며칠 몇 시간인지 구하세요.

　　일 　　시간

◎ 4단계 시각과 시간

3. 1주일

예 **2주일 3일을 며칠로 나타내기**

> | 주일=7일

2주일 3일=2주일+3일
　　　　=7일+7일+3일
　　　　=17일

달력에서 같은 요일은 7일마다 반복되므로 7일은 | 주일이야.

🐙 □ 안에 알맞은 수를 써넣으세요.

1 | 주일= [7] 일

2 | 주일 3일=7일+□일
　　　　=□일

3 | 주일 5일=7일+□일
　　　　=□일

4 2주일=7일+□일
　　　=□일

5 2주일 | 일=7일+7일+□일
　　　　=□일

6 2주일 3일=7일+7일+□일
　　　　=□일

7 2주일 5일=7일+7일+□일
　　　　=□일

8 3주일=7일+7일+□일
　　　=□일

🐙 ☐ 안에 알맞은 수를 써넣으세요.

9   1주일 1일 ➡ ☐ 일   **10**   1주일 4일 ➡ ☐ 일

11   1주일 6일 ➡ ☐ 일   **12**   2주일 2일 ➡ ☐ 일

13   2주일 4일 ➡ ☐ 일   **14**   2주일 6일 ➡ ☐ 일

15   3주일 2일 ➡ ☐ 일   **16**   3주일 4일 ➡ ☐ 일

17   4주일 1일 ➡ ☐ 일   **18**   4주일 5일 ➡ ☐ 일

19   5주일 2일 ➡ ☐ 일   **20**   5주일 5일 ➡ ☐ 일

21   6주일 3일 ➡ ☐ 일   **22**   6주일 5일 ➡ ☐ 일

3. 1주일

🐙 ☐ 안에 알맞은 수를 써넣으세요.

1 1주일 2일=☐일

2 1주일 5일=☐일

3 2주일 1일=☐일

4 2주일 3일=☐일

5 3주일 3일=☐일

6 3주일 5일=☐일

7 4주일=☐일

8 4주일 3일=☐일

9 5주일 1일=☐일

10 5주일 3일=☐일

11 6주일=☐일

12 6주일 4일=☐일

13 7주일 2일=☐일

14 7주일 5일=☐일

🐙 ☐ 안에 알맞은 수를 써넣으세요.

15 | 1주일 3일 ☐ 일

16 | 1주일 5일 ☐ 일

17 | 2주일 ☐ 일

18 | 2주일 2일 ☐ 일

19 | 2주일 6일 ☐ 일

20 | 3주일 1일 ☐ 일

21 | 3주일 3일 ☐ 일

22 | 4주일 2일 ☐ 일

23 | 4주일 5일 ☐ 일

24 | 5주일 5일 ☐ 일

25 | 7주일 1일 ☐ 일

26 | 8주일 ☐ 일

3. 1주일

예 **27일을 몇 주일 며칠로 나타내기**

7일=1주일

27일=7일+7일+7일+6일
　　=1주일+1주일+1주일+6일
　　=3주일+6일
　　=3주일 6일

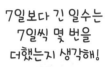

7일보다 긴 일수는
7일씩 몇 번을
더했는지 생각해!

🐙 ☐ 안에 알맞은 수를 써넣으세요.

1　7일=☐주일

2　9일=7일+☐일
　　　=☐주일☐일

3　11일=7일+☐일
　　　=☐주일☐일

4　14일=7일+☐일
　　　=☐주일

5　15일=7일+7일+☐일
　　　=☐주일☐일

6　18일=7일+7일+☐일
　　　=☐주일☐일

7　20일=7일+7일+☐일
　　　=☐주일☐일

8　21일=7일+7일+☐일
　　　=☐주일

🐙 ☐ 안에 알맞은 수를 써넣으세요.

9   [8일] ➡ ☐ 주일 ☐ 일   **10**   [10일] ➡ ☐ 주일 ☐ 일

11   [16일] ➡ ☐ 주일 ☐ 일   **12**   [19일] ➡ ☐ 주일 ☐ 일

13   [22일] ➡ ☐ 주일 ☐ 일   **14**   [24일] ➡ ☐ 주일 ☐ 일

15   [27일] ➡ ☐ 주일 ☐ 일   **16**   [31일] ➡ ☐ 주일 ☐ 일

17   [35일] ➡ ☐ 주일   **18**   [40일] ➡ ☐ 주일 ☐ 일

19   [45일] ➡ ☐ 주일 ☐ 일   **20**   [48일] ➡ ☐ 주일 ☐ 일

21   [50일] ➡ ☐ 주일 ☐ 일   **22**   [53일] ➡ ☐ 주일 ☐ 일

4단계 시각과 시간

3. 1주일

🐙 ☐ 안에 알맞은 수를 써넣으세요.

1 12일=☐주일☐일

2 16일=☐주일☐일

3 17일=☐주일☐일

4 20일=☐주일☐일

5 23일=☐주일☐일

6 25일=☐주일☐일

7 28일=☐주일

8 30일=☐주일☐일

9 37일=☐주일☐일

10 41일=☐주일☐일

11 46일=☐주일☐일

12 49일=☐주일

13 50일=☐주일☐일

14 54일=☐주일☐일

🐙 같은 것끼리 선으로 이어 보세요.

15

| 10일 | ● |

● | 1주일 3일 |

● | 1주일 2일 |

● | 1주일 1일 |

8일 ●

16

| 18일 | ● |

● | 2주일 2일 |

● | 2주일 4일 |

● | 3주일 1일 |

22일 ●

17

| 36일 | ● |

● | 5주일 1일 |

● | 4주일 2일 |

● | 4주일 1일 |

30일 ●

18

| 47일 | ● |

● | 5주일 5일 |

● | 6주일 1일 |

● | 6주일 5일 |

43일 ●

4. 1년

예 | 년 5개월을 몇 개월로 나타내기

| 년=| 2개월

| 년 5개월=| 년+5개월
　　　　=| 2개월+5개월
　　　　=| 7개월

| 월부터 | 2월까지
모두 열두 달이므로
| 년은 | 2개월이야.

🐙 ☐ 안에 알맞은 수를 써넣으세요.

1 | 년= | 1 2 | 개월

2 | 년 3개월=| 2개월+☐개월
　　　　=☐개월

3 | 년 7개월=| 2개월+☐개월
　　　　=☐개월

4 | 년 | 0개월=| 2개월+☐개월
　　　　=☐개월

5 2년=| 2개월+☐개월
　　=☐개월

6 | 년 8개월=| 2개월+☐개월
　　　　=☐개월

7 2년 9개월
　=| 2개월+| 2개월+☐개월
　=☐개월

8 3년
　=| 2개월+| 2개월+☐개월
　=☐개월

🐙 ☐ 안에 알맞은 수를 써넣으세요.

9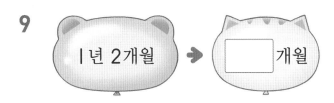
1년 2개월 ➡ ☐ 개월

10
1년 6개월 ➡ ☐ 개월

11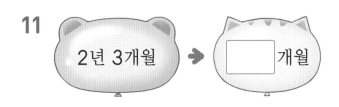
2년 3개월 ➡ ☐ 개월

12
2년 10개월 ➡ ☐ 개월

13
3년 3개월 ➡ ☐ 개월

14
3년 7개월 ➡ ☐ 개월

15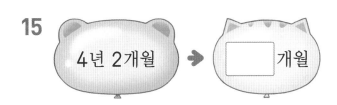
4년 2개월 ➡ ☐ 개월

16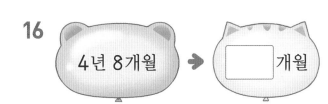
4년 8개월 ➡ ☐ 개월

17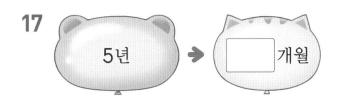
5년 ➡ ☐ 개월

18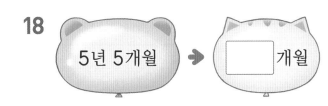
5년 5개월 ➡ ☐ 개월

19
6년 3개월 ➡ ☐ 개월

20
6년 7개월 ➡ ☐ 개월

◎ 4단계 시각과 시간

4. 1년

🐙 ☐ 안에 알맞은 수를 써넣으세요.

1 1년 10개월= ☐ 개월

2 2년 3개월= ☐ 개월

3 2년 7개월= ☐ 개월

4 2년 9개월= ☐ 개월

5 3년 1개월= ☐ 개월

6 3년 8개월= ☐ 개월

7 4년 7개월= ☐ 개월

8 4년 11개월= ☐ 개월

9 5년 2개월= ☐ 개월

10 5년 6개월= ☐ 개월

11 5년 9개월= ☐ 개월

12 6년= ☐ 개월

13 6년 4개월= ☐ 개월

14 6년 10개월= ☐ 개월

🐙 ☐ 안에 알맞은 수를 써넣으세요.

15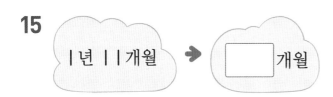
1년 11개월 ➡ ☐ 개월

16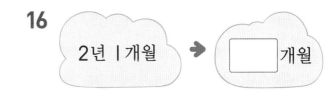
2년 1개월 ➡ ☐ 개월

17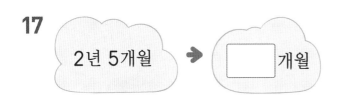
2년 5개월 ➡ ☐ 개월

18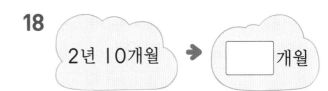
2년 10개월 ➡ ☐ 개월

19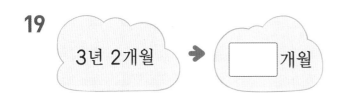
3년 2개월 ➡ ☐ 개월

20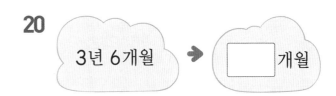
3년 6개월 ➡ ☐ 개월

21
4년 2개월 ➡ ☐ 개월

22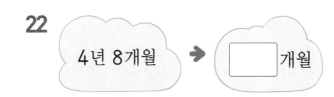
4년 8개월 ➡ ☐ 개월

23
5년 1개월 ➡ ☐ 개월

24
5년 8개월 ➡ ☐ 개월

25
6년 5개월 ➡ ☐ 개월

26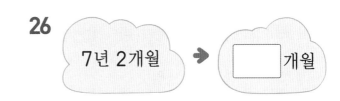
7년 2개월 ➡ ☐ 개월

4. 1년

예 35개월을 몇 년 몇 개월로 나타내기

12개월=1년

35개월=12개월+12개월+11개월
    =1년+1년+11개월
    =2년+11개월
    =2년 11개월

12개월보다 긴 개월 수는
12개월씩 몇 번을
더했는지 생각해!

□ 안에 알맞은 수를 써넣으세요.

1 12개월= 1 년

2 13개월=12개월+ □ 개월
      = □ 년 □ 개월

3 16개월=12개월+ □ 개월
      = □ 년 □ 개월

4 19개월=12개월+ □ 개월
      = □ 년 □ 개월

5 20개월=12개월+ □ 개월
      = □ 년 □ 개월

6 24개월=12개월+ □ 개월
      = □ 년

7 25개월
    =12개월+12개월+ □ 개월
    = □ 년 □ 개월

8 32개월
    =12개월+12개월+ □ 개월
    = □ 년 □ 개월

🐙 ☐ 안에 알맞은 수를 써넣으세요.

9
14개월 ➡ ☐년 ☐개월

10
18개월 ➡ ☐년 ☐개월

11
27개월 ➡ ☐년 ☐개월

12
30개월 ➡ ☐년 ☐개월

13
36개월 ➡ ☐년

14
45개월 ➡ ☐년 ☐개월

15
49개월 ➡ ☐년 ☐개월

16
52개월 ➡ ☐년 ☐개월

17
59개월 ➡ ☐년 ☐개월

18
62개월 ➡ ☐년 ☐개월

19
67개월 ➡ ☐년 ☐개월

20
72개월 ➡ ☐년

4. 1년

🐙 □ 안에 알맞은 수를 써넣으세요.

1 17개월 = □ 년 □ 개월

2 21개월 = □ 년 □ 개월

3 28개월 = □ 년 □ 개월

4 33개월 = □ 년 □ 개월

5 40개월 = □ 년 □ 개월

6 46개월 = □ 년 □ 개월

7 48개월 = □ 년

8 53개월 = □ 년 □ 개월

9 59개월 = □ 년 □ 개월

10 60개월 = □ 년

11 65개월 = □ 년 □ 개월

12 70개월 = □ 년 □ 개월

13 81개월 = □ 년 □ 개월

14 84개월 = □ 년

같은 개월 수가 되도록 ☐ 안에 알맞은 수를 써넣으세요.

15
27개월
☐ 년 ☐ 개월

16
32개월
☐ 년 ☐ 개월

17
39개월
☐ 년 ☐ 개월

18
42개월
☐ 년 ☐ 개월

19
53개월
☐ 년 ☐ 개월

20
56개월
☐ 년 ☐ 개월

21
62개월
☐ 년 ☐ 개월

22
75개월
☐ 년 ☐ 개월

💡 **생활 속 연산**

민솔이 동생이 태어난 날부터 오늘까지 64개월이
되었습니다. 민솔이 동생은 태어난 지 몇 년 몇 개월
이 된 것인지 구하세요.

64개월

☐ 년 ☐ 개월

🎯 4단계 시각과 시간

마무리 연산

🐙 ☐ 안에 알맞은 수를 써넣으세요.

1 I시간 = ☐ 분

2 75분 = ☐ 시간 ☐ 분

3 I시간 55분 = ☐ 분

4 I47분 = ☐ 시간 ☐ 분

5 2시간 I2분 = ☐ 분

6 I94분 = ☐ 시간 ☐ 분

7 2시간 45분 = ☐ 분

8 225분 = ☐ 시간 ☐ 분

9 3시간 38분 = ☐ 분

10 282분 = ☐ 시간 ☐ 분

11 4시간 5I분 = ☐ 분

12 300분 = ☐ 시간

13 5시간 I8분 = ☐ 분

14 333분 = ☐ 시간 ☐ 분

🐙 ☐ 안에 알맞은 수를 써넣으세요.

15 1일 4시간 = ☐ 시간

16 24시간 = ☐ 일

17 1일 13시간 = ☐ 시간

18 32시간 = ☐ 일 ☐ 시간

19 2일 7시간 = ☐ 시간

20 68시간 = ☐ 일 ☐ 시간

21 3일 1시간 = ☐ 시간

22 72시간 = ☐ 일

23 3일 14시간 = ☐ 시간

24 90시간 = ☐ 일 ☐ 시간

25 4일 = ☐ 시간

26 100시간 = ☐ 일 ☐ 시간

27 4일 8시간 = ☐ 시간

28 125시간 = ☐ 일 ☐ 시간

◎ 4단계 시각과 시간

마무리 연산

🐙 ☐ 안에 알맞은 수를 써넣으세요.

1 I주일=☐일

2 9일=☐주일 ☐일

3 I주일 4일=☐일

4 I8일=☐주일 ☐일

5 2주일 3일=☐일

6 20일=☐주일 ☐일

7 3주일 6일=☐일

8 26일=☐주일 ☐일

9 4주일=☐일

10 30일=☐주일 ☐일

11 4주일 4일=☐일

12 40일=☐주일 ☐일

13 5주일 2일=☐일

14 42일=☐주일

🐙 ☐ 안에 알맞은 수를 써넣으세요.

15 1년 = ☐ 개월

16 17개월 = ☐ 년 ☐ 개월

17 2년 3개월 = ☐ 개월

18 28개월 = ☐ 년 ☐ 개월

19 2년 10개월 = ☐ 개월

20 36개월 = ☐ 년

21 3년 7개월 = ☐ 개월

22 40개월 = ☐ 년 ☐ 개월

23 4년 2개월 = ☐ 개월

24 57개월 = ☐ 년 ☐ 개월

25 4년 11개월 = ☐ 개월

26 66개월 = ☐ 년 ☐ 개월

27 5년 3개월 = ☐ 개월

28 80개월 = ☐ 년 ☐ 개월

MEMO

함수 연산으로 **수학** 기초 체력 UP!

이제 정답을
확인하러 가 볼까?

힘이 붙는 **수학** 연산

정답
초등 2B

금성출판사

차례

정답

초등 2B

하나 둘!
하나 둘!

🎯 **1단계** 네 자리 수

DAY **01** 8~9쪽

1. 네 자리 수

1	10, 1000	**2**	4, 4000		
3	7, 7000	**4**	9, 9000		
5	1000	**6**	2000	**7**	5000
8	1000	**9**	1000	**10**	4000
11	8000	**12**	6000	**13**	3000
14	1000	**15**	7000	**16**	9000

DAY **02** 10~11쪽

1. 네 자리 수

1	3, 4, 6, 3 / 3463				
2	4, 2, 3, 8 / 4238				
3	5, 9, 2 / 5092				
4	3472	**5**	1638	**6**	2589
7	5163	**8**	6754	**9**	8643
10	2897	**11**	4326		

생활 속 연산 2580

DAY **03** 12~13쪽

2. 각 자리의 숫자

1 (위에서부터) 8, 0, 0 / 5, 0 / 4

2 (위에서부터) 6, 0, 0, 0 / 3, 0, 0 / 7, 0 / 9

3 7, 5 / 70, 5

4 5, 9, 2, 1 / 5000, 900, 20, 1

5 6, 2, 8, 9 / 6000, 200, 80, 9

6 7, 4, 0, 3 / 7000, 400, 3

7 9, 0, 5, 2 / 9000, 50, 2

DAY **04** 14~15쪽

2. 각 자리의 숫자

1	300	**2**	5000	**3**	90
4	3000	**5**	60	**6**	500
7	7000	**8**	80	**9**	4
10	200	**11**	30	**12**	6000
13	2450에 ○표		**14**	1745에 ○표	
15	5649에 ○표		**16**	8543에 ○표	
17	6215에 ○표		**18**	6753에 ○표	
19	3179에 ○표		**20**	4389에 ○표	

생활 속 연산 ( ) (○) ( )

DAY 05   16~17쪽

3. 뛰어서 세기

1 4740, 5740, 6740, 7740

2 5739, 5839, 5939, 6039

3 3785, 3795, 3805, 3815

4 6046, 6047, 6048, 6049

5 4975, 5975, 6975, 7975

6 5643, 6643, 7643, 8643

7 5918, 6018, 6118, 6218

8 8655, 8755, 8855, 8955

9 7436, 7446, 7456, 7466

10 6402, 6412, 6422, 6432

11 3677, 3678, 3679, 3680

12 9488, 9489, 9490, 9491

DAY 06   18~19쪽

3. 뛰어서 세기

1 1000   2 10   3 100

4 1   5 1000   6 100

7 1000   8 5   9 50

10 10   11 1   12 500

13 4369, 4370, 4371, 4372

14 2914, 3014, 3214, 3314

15 5162, 5172, 5182, 5192

16 3276, 4276, 7276, 8276

17 6700, 6750, 6800, 6900

18 9423, 9428, 9443, 9448

생활 속 연산 7730

DAY 07   20~21쪽

4. 수의 크기 비교

1 (위에서부터) 5, 7 / 6, 9 / >

2 (위에서부터) 3, 6, 2, 8 / 3, 7, 9, 0 / <

3 (위에서부터) 5, 7, 3, 8 / 5, 7, 2, 9 / >

4 (위에서부터) 7, 5, 3, 1 / 7, 5, 3, 6 / <

5 (위에서부터) 6, 3, 8, 4 / 8, 0, 2, 3 / <

6 (위에서부터) 8, 9, 1, 8 / 8, 9, 4, 1 / <

7 >   8 >   9 <

10 >   11 <   12 <

13 <   14 <   15 <

16 >   17 <   18 <

19 >   20 <   21 >

22 >

4. 수의 크기 비교

1 (위에서부터) 4, 8 / 5, 7 / 4, 5 /
5245, 2157

2 (위에서부터) 2, 7, 4, 9 / 2, 7, 4, 5 /
2, 4, 9, 3 / 2749, 2493

3 (위에서부터) 4, 3, 5, 6 / 5, 2, 3, 8 /
4, 3, 7, 8 / 5238, 4356

4 (위에서부터) 6, 2, 6, 7 / 6, 2, 3, 9 /
6, 2, 7, 2 / 6272, 6239

5 (위에서부터) 8, 4, 2, 7 / 8, 1, 6, 3 /
8, 4, 5, 1 / 8451, 8163

6 (위에서부터) 7, 8, 2, 3 / 5, 2, 4, 8 /
5, 2, 7, 0 / 7823, 5248

7 △2000 4000 ○6000

8 3647 △2864 ○7015

9 △5246 ○5428 5381

10 ○7482 7469 △7463

11 △1763 1765 ○1768

12 △2528 ○5100 2530

13 5725 △4893 ○5729

14 △7243 7354 ○9134

15 △6524 6527 ○6612

16 ○8637 △4678 7072

17 ○4782 △4099 4754

18 ○7824 7468 △7457

19 5721 ○6254 △4997

20 ○4632 4438 △4427

21 ○9264 △8753 8756

22 2567 △1987 ○2569

4. 수의 크기 비교

1 2654   **2** 4200   **3** 5783

4 6132   **5** 7367   **6** 7546

7 6482   **8** 5693   **9** 6839

10 9213

11 8000, 5000, 4000

12 7900, 7800, 7300

13 3849, 3834, 3824

14 5305, 5275, 5247

15 5135, 4824, 4820

16 7330, 7325, 6792

17 7837, 7832, 6999

18 9132, 8345, 8329

생활 속 연산 주스

DAY 10　26~27쪽
마무리 연산

1　2648	2　1735	3　6891
4　7025	5　5780	6　6393
7　7741	8　9308	9　6526
10　4829	11　1000	12　300
13　20	14　8	15　600
16　40	17　3000	18　70
19　700	20　2	21　9000
22　40		

DAY 11　28~29쪽
마무리 연산

1　1634, 1734, 1834, 1934

2　2896, 2906, 2916, 2926

3　3438, 4438, 5438, 6438

4　5700, 5750, 5900, 5950

5　8069, 8169, 8269, 8569

6　3657, 3667, 3687, 3697

7　7421, 7921, 9421, 9921

8　8332, 8337, 8352, 8357

9　<	10　>	11　>
12　>	13　<	14　<
15　<	16　<	17　>
18　>	19　<	20　<
21　>	22　>	23　<
24　<		

◎ 2단계　곱셈구구

DAY 01　32~33쪽
1. 2단, 5단 곱셈구구

1　2, 4	2　3, 6	3　4, 8
4　5, 10	5　6, 12	6　8, 16
7　2	8　4	9　8
10　2	11　14	12　3
13　10	14　8	15　6
16　6	17　4	18　1
19　12	20　9	21　18
22　5	23　16	24　7

DAY 02　34~35쪽
1. 2단, 5단 곱셈구구

1　2, 10	2　4, 20	3　5, 25
4　7, 35	5　8, 40	6　9, 45
7　5	8　4	9　15
10　5	11　30	12　6
13　25	14　3	15　35
16　9	17　40	18　2
19　10	20　7	21　45
22　1	23　20	24　8

DAY 03 36~37쪽

1. 2단, 5단 곱셈구구

1 4	**2** 20	**3** 10
4 30	**5** 6	**6** 35
7 2	**8** 5	**9** 8
10 15	**11** 12	**12** 45
13 14	**14** 25	**15** 18
16 10	**17** 16	**18** 40
19 8	**20** 12	**21** 16
22 15	**23** 25	**24** 45
25 10	**26** 6	**27** 14
28 30	**29** 35	**30** 20

DAY 04 38~39쪽

1. 2단, 5단 곱셈구구

1 3	**2** 4	**3** 5
4 2	**5** 9	**6** 1
7 1	**8** 6	**9** 6
10 9	**11** 4	**12** 8
13 7	**14** 7	**15** 2
16 3	**17** 8	**18** 5
19 6	**20** 3	**21** 9
22 7	**23** 8	**24** 9
25 5	**26** 4	

생활 속 연산 6, 12

DAY 05 40~41쪽

2. 3단, 6단 곱셈구구

1 2, 6	**2** 3, 9	**3** 4, 12
4 5, 15	**5** 6, 18	**6** 8, 24
7 3	**8** 3	**9** 12
10 5	**11** 9	**12** 1
13 15	**14** 6	**15** 21
16 4	**17** 6	**18** 9
19 18	**20** 8	**21** 24
22 2	**23** 27	**24** 7

DAY 06 42~43쪽

2. 3단, 6단 곱셈구구

1 3, 18	**2** 4, 24	**3** 5, 30
4 7, 42	**5** 8, 48	**6** 9, 54
7 6	**8** 2	**9** 24
10 8	**11** 42	**12** 6
13 12	**14** 1	**15** 48
16 3	**17** 30	**18** 4
19 36	**20** 9	**21** 18
22 7	**23** 54	**24** 5

6 2B

DAY 07

2. 3단, 6단 곱셈구구

1 3	**2** 12	**3** 12
4 42	**5** 24	**6** 30
7 6	**8** 6	**9** 15
10 18	**11** 18	**12** 24
13 21	**14** 36	**15** 27
16 54	**17** 9	**18** 48
19 12	**20** 21	**21** 6
22 12	**23** 24	**24** 30
25 15	**26** 27	**27** 9
28 42	**29** 18	**30** 36

DAY 08

2. 3단, 6단 곱셈구구

1 2	**2** 2	**3** 6
4 4	**5** 4	**6** 5
7 8	**8** 9	**9** 1
10 3	**11** 7	**12** 7
13 9	**14** 1	**15** 5
16 6	**17** 3	**18** 8
19 4	**20** 7	**21** 9
22 5	**23** 7	**24** 8
25 5	**26** 6	

생활 속 연산 6, 18

DAY 09

3. 4단, 8단 곱셈구구

1 3, 12	**2** 2, 8	**3** 4, 16
4 5, 20	**5** 7, 28	**6** 9, 36
7 4	**8** 3	**9** 16
10 5	**11** 28	**12** 1
13 12	**14** 9	**15** 20
16 8	**17** 32	**18** 4
19 8	**20** 6	**21** 36
22 7	**23** 24	**24** 2

DAY 10

3. 4단, 8단 곱셈구구

1 2, 16	**2** 3, 24	**3** 4, 32
4 5, 40	**5** 7, 56	**6** 8, 64
7 8	**8** 3	**9** 32
10 5	**11** 56	**12** 8
13 40	**14** 2	**15** 24
16 1	**17** 64	**18** 9
19 48	**20** 4	**21** 16
22 7	**23** 72	**24** 6

3. 4단, 8단 곱셈구구

1 4	2 40	3 32
4 16	5 20	6 72
7 12	8 32	9 8
10 56	11 24	12 64
13 28	14 8	15 36
16 24	17 16	18 48
19 12	20 16	21 28
22 72	23 24	24 64
25 8	26 40	27 16
28 32	29 36	30 48

3. 4단, 8단 곱셈구구

1 3	2 2	3 5
4 3	5 1	6 5
7 7	8 1	9 8
10 6	11 4	12 7
13 6	14 9	15 9
16 4	17 2	18 8
19 4	20 2	21 3
22 5	23 7	24 3
25 5	26 4	27 8
28 9		

생활 속 연산 4, 16

4. 7단, 9단 곱셈구구

1 3, 21	2 4, 28	3 7, 49
4 6, 42	5 8, 56	6 9, 63
7 7	8 2	9 28
10 6	11 49	12 1
13 21	14 4	15 56
16 9	17 35	18 3
19 14	20 7	21 63
22 5	23 42	24 8

4. 7단, 9단 곱셈구구

1 2, 18	2 3, 27	3 4, 36
4 6, 54	5 8, 72	6 9, 81
7 9	8 2	9 27
10 5	11 54	12 8
13 36	14 3	15 72
16 1	17 45	18 9
19 18	20 7	21 81
22 4	23 63	24 6

DAY 15

4. 7단, 9단 곱셈구구

1 7	2 36	3 49
4 45	5 42	6 9
7 21	8 18	9 14
10 54	11 63	12 81
13 35	14 63	15 28
16 27	17 56	18 72

19 (위에서부터) 28, 14

20 (위에서부터) 18, 54

21 (위에서부터) 35, 21

22 (위에서부터) 27, 72

23 (위에서부터) 56, 49

24 (위에서부터) 81, 36

25 (위에서부터) 63, 42

26 (위에서부터) 45, 63

DAY 16

4. 7단, 9단 곱셈구구

1 2	2 2	3 4
4 1	5 7	6 6
7 1	8 3	9 8
10 7	11 6	12 4
13 5	14 8	15 3
16 9	17 9	18 5
19 6	20 3	21 4
22 7	23 7	24 9
25 5	26 4	

생활 속 연산 7, 63

DAY 17

5. 1단 곱셈구구, 0의 곱

1 3	2 0	3 5
4 0	5 8	6 0
7 1	8 0	9 4
10 0	11 8	12 0
13 5	14 0	15 6
16 0	17 3	18 0
19 2	20 0	21 9
22 0	23 7	24 0

DAY 18

5. 1단 곱셈구구, 0의 곱

1 6	2 0	3 1
4 0	5 7	6 0
7 2	8 0	9 3
10 0	11 1	12 0
13 1	14 0	15 1
16 0	17 1	18 0
19 4	20 0	21 7
22 0	23 5	24 0
25 9	26 0	

생활 속 연산 3

6. 곱셈표

1 1, 2, 3, 4, 5

2 4, 8, 12, 16, 20

3 15, 20, 25, 30, 35

4 40, 48, 56, 64, 72

5 (위에서부터) 1, 2, 3 / 2, 4, 8 / 3, 6, 12 /

8, 12, 16

6 (위에서부터) 6, 9, 12 / 8, 16, 20 /

10, 15, 25 / 12, 24, 30

7 (위에서부터) 10, 15, 20 / 6, 12, 24 /

7, 21, 28 / 8, 16, 24

8 (위에서부터) 24, 30, 42 / 35, 42, 49 /

32, 40, 56 / 36, 54, 63

9 (위에서부터) 6, 8, 9 / 12, 14, 16 /

18, 21, 24 / 28, 32, 36

10 (위에서부터) 0, 0, 0 / 3, 4, 5 /

6, 10, 12 / 9, 12, 18

11 (위에서부터) 8, 12, 16 / 15, 20, 25 /

12, 18, 24 / 14, 28, 35

12 (위에서부터) 42, 48, 54 / 42, 49, 63 /

48, 64, 72 / 54, 63, 72

6. 곱셈표

1 4, 5, 6, 7, 8

2 4, 6, 8, 10, 12

3 6, 9, 12, 15, 18

4 16, 20, 24, 28, 32

5 18, 24, 30, 36, 42

6 28, 35, 42, 49, 56

7 25, 30, 35, 40, 45

8 27, 36, 45, 54, 63

9 24, 32, 40, 48, 56

10 15, 18, 21, 24, 27

11 10, 15, 20, 25, 30

12 30, 36, 42, 48, 54

13

×	1	2	3	4	5
0	0	0	0	0	0
1	1	2	3	4	5
2	2	4	6	8	10
3	3	6	9	12	15
4	4	8	12	16	20
5	5	10	15	20	25

14

×	2	3	4	5	6
4	8	12	16	20	24
5	10	15	20	25	30
6	12	18	24	30	36
7	14	21	28	35	42
8	16	24	32	40	48
9	18	27	36	45	54

15

×	3	4	5	6	7
2	6	8	10	12	14
3	9	12	15	18	21
4	12	16	20	24	28
5	15	20	25	30	35
6	18	24	30	36	42
7	21	28	35	42	49

16

×	4	5	6	7	8
3	12	15	18	21	24
4	16	20	24	28	32
5	20	25	30	35	40
6	24	30	36	42	48
7	28	35	42	49	56
8	32	40	48	56	64

17

×	5	6	7	8	9
1	5	6	7	8	9
2	10	12	14	16	18
3	15	18	21	24	27
4	20	24	28	32	36
5	25	30	35	40	45
6	30	36	42	48	54

18

×	5	6	7	8	9
4	20	24	28	32	36
5	25	30	35	40	45
6	30	36	42	48	54
7	35	42	49	56	63
8	40	48	56	64	72
9	45	54	63	72	81

DAY 21 72~73쪽

6. 곱셈표

1 3 **2** 4 **3** 10

4 4 **5** 6 **6** 12

7 18

25	30	35	40	45
30	36	42	48	54
35	42	49	56	63
♥	48	56	64	72
45	54	63	72	81

8 6 **9** 8 **10** 5

11 7 **12** 15 **13** 40

DAY 22 74~75쪽

마무리 연산

1 8 **2** 6 **3** 45

4 21 **5** 18 **6** 9

7 12 **8** 40 **9** 24

10 6 **11** 15 **12** 27

13 30 **14** 10 **15** 12

16 18 **17** 10 **18** 25

19 12 **20** 42 **21** 14

22 12 **23** 32 **24** 21

25 40 **26** 18 **27** 56

28 81 **29** 28 **30** 54

31 20 **32** 35 **33** 36

34 63 **35** 72 **36** 56

37 6 **38** 7 **39** 9

40 0 **41** 0 **42** 0

마무리 연산

1 2		**2** 3		**3** 6	
4 7		**5** 3		**6** 6	
7 3		**8** 4		**9** 8	
10 0		**11** 6		**12** 5	
13 7		**14** 5		**15** 7	
16 5		**17** 0		**18** 9	
19 8		**20** 6		**21** 8	

22 6, 9, 12, 15, 18

23 12, 18, 24, 30, 36

24 20, 24, 28, 32, 36

25 25, 30, 35, 40, 45

26 28, 35, 42, 49, 56

27 36, 45, 54, 63, 72

28

×	2	3	4	5
0	0	0	0	0
1	2	3	4	5
2	4	6	8	10
3	6	9	12	15

29

×	3	4	5	6
4	12	16	20	24
5	15	20	25	30
6	18	24	30	36
7	21	28	35	42

30

×	4	5	6	7
1	4	5	6	7
2	8	10	12	14
3	12	15	18	21
4	16	20	24	28

31

×	6	7	8	9
6	36	42	48	54
7	42	49	56	63
8	48	56	64	72
9	54	63	72	81

◎3단계 길이의 계산

1. m와 cm의 관계

1	1	**2**	4	**3**	1, 50
4	2, 40	**5**	2, 74	**6**	5, 61
7	3, 7	**8**	4, 20	**9**	6, 13
10	8, 78	**11**	5, 29	**12**	7, 64
13	1, 23	**14**	1, 97	**15**	2, 49
16	2, 65	**17**	3, 87	**18**	4, 9
19	4, 65	**20**	5, 12	**21**	6, 29
22	6, 60	**23**	7, 45	**24**	8, 89
25	9, 21	**26**	9, 9		

1. m와 cm의 관계

1	100	**2**	300	**3**	256
4	578	**5**	840	**6**	361
7	423	**8**	487	**9**	506
10	748	**11**	612	**12**	937
13	198	**14**	234	**15**	261
16	307	**17**	324	**18**	457
19	486	**20**	556	**21**	647
22	609	**23**	774	**24**	722
25	843	**26**	927		

1. m와 cm의 관계

1	4	**2**	700	**3**	1, 42
4	108	**5**	2, 23	**6**	356
7	6, 19	**8**	771	**9**	5, 65
10	423	**11**	7, 80	**12**	548
13	8, 29	**14**	980		

15 1 m 42 cm에 색칠

16 236 cm에 색칠

17 4 m 25 cm에 색칠

18 309 cm에 색칠

19 6 m 20 cm에 색칠

20 415 cm에 색칠

21 5 m 3 cm에 색칠

22 806 cm에 색칠

생활 속 연산 1, 40

2. 받아올림이 없는 길이의 합

1	5, 50	**2**	4, 90	**3**	6, 40
4	9, 60	**5**	4, 65	**6**	8, 70
7	3, 70	**8**	3, 80	**9**	3, 75
10	7, 65	**11**	6, 57	**12**	4, 87
13	8, 95	**14**	9, 76	**15**	6, 91
16	7, 97	**17**	8, 41	**18**	8, 62
19	9, 71	**20**	9, 72		

2. 받아올림이 없는 길이의 합

1 3 m 75 cm		**2** 5 m 55 cm	
3 5 m 39 cm		**4** 7 m 76 cm	
5 8 m 93 cm		**6** 8 m 71 cm	
7 7 m 79 cm		**8** 9 m 84 cm	
9 9 m 55 cm		**10** 8 m 75 cm	

11 4, 21	**12** 3, 59	**13** 8, 81
14 7, 87	**15** 8, 82	**16** 7, 82
17 7, 76	**18** 9, 92	

2. 받아올림이 없는 길이의 합

1 3 m 76 cm	**2** 5 m 70 cm
3 6 m 91 cm	**4** 7 m 80 cm
5 8 m 72 cm	**6** 8 m 83 cm
7 10 m 90 cm	**8** 12 m 85 cm
9 11 m 60 cm	**10** 11 m 90 cm
11 8 m 77 cm	**12** 8 m 51 cm
13 8 m 84 cm	**14** 6 m 91 cm
15 9 m 93 cm	**16** 13 m 88 cm
17 13 m 72 cm	**18** 11 m 89 cm
19 11 m 77 cm	**20** 13 m 83 cm

2. 받아올림이 없는 길이의 합

1 5 m 60 cm	**2** 6 m 90 cm
3 7 m 90 cm	**4** 8 m 85 cm
5 8 m 90 cm	**6** 9 m 52 cm
7 10 m 85 cm	**8** 12 m 63 cm
9 9 m 74 cm	**10** 11 m 89 cm
11 12 m 82 cm	**12** 13 m 97 cm
13 11 m 65 cm	**14** 14 m 87 cm
15 7 m 70 cm	**16** 7 m 65 cm
17 6 m 85 cm	**18** 9 m 88 cm
19 12 m 86 cm	**20** 13 m 81 cm
21 13 m 76 cm	**22** 15 m 85 cm

생활 속 연산 2, 78

3. 받아올림이 있는 길이의 합

1 5, 20		**2** 1 / 6, 30	
3 1 / 6, 10		**4** 1 / 7, 40	
5 1 / 8, 25		**6** 1 / 9, 20	

7 4, 15	**8** 4, 10	**9** 7, 25
10 6, 15	**11** 8, 17	**12** 7, 42
13 8, 38	**14** 9, 16	**15** 8, 12
16 9, 27	**17** 7, 16	**18** 9, 35
19 9, 10	**20** 9, 25	

DAY 09

3. 받아올림이 있는 길이의 합

1 7 m 20 cm	**2** 5 m 15 cm
3 7 m 32 cm	**4** 6 m 59 cm
5 8 m 40 cm	**6** 5 m 23 cm
7 12 m 40 cm	**8** 11 m 9 cm
9 11 m 27 cm	**10** 14 m 22 cm
11 5 m 13 cm	**12** 5 m 38 cm
13 6 m 28 cm	**14** 8 m 26 cm
15 6 m 31 cm	**16** 9 m 19 cm
17 11 m 34 cm	**18** 11 m 22 cm
19 14 m 27 cm	**20** 16 m 2 cm

DAY 10

3. 받아올림이 있는 길이의 합

1 6 m 40 cm	**2** 9 m 12 cm
3 8 m 40 cm	**4** 9 m 33 cm
5 8 m 18 cm	**6** 9 m 17 cm
7 11 m 13 cm	**8** 13 m 22 cm
9 16 m 49 cm	**10** 13 m 19 cm
11 7 m 19 cm	**12** 9 m 22 cm
13 8 m 40 cm	**14** 11 m 33 cm
15 14 m 54 cm	**16** 14 m 2 cm
17 15 m 27 cm	**18** 12 m 22 cm

DAY 11

3. 받아올림이 있는 길이의 합

1 5 m 17 cm	**2** 8 m 29 cm
3 6 m 19 cm	**4** 9 m 31 cm
5 7 m 12 cm	**6** 8 m 43 cm
7 12 m 19 cm	**8** 11 m 9 cm
9 12 m 38 cm	**10** 14 m 16 cm
11 14 m 60 cm	**12** 11 m 10 cm
13 9 m 18 cm	**14** 14 m 52 cm

15 5, 20	**16** 6, 20	**17** 7, 25
18 8, 41	**19** 10, 18	**20** 10, 37
21 14, 19	**22** 13, 20	

생활 속 연산 3, 40

DAY 12

4. 받아내림이 없는 길이의 차

1 2, 30	**2** 3, 10	**3** 1, 40
4 3, 10	**5** 3, 25	**6** 2, 20
7 1, 50	**8** 1, 10	**9** 1, 35
10 3, 25	**11** 1, 29	**12** 3, 20
13 2, 18	**14** 2, 25	**15** 3, 27
16 2, 21	**17** 4, 29	**18** 7, 27
19 4, 15	**20** 3, 17	

4. 받아내림이 없는 길이의 차

1 1 m 30 cm		**2** 1 m 45 cm	
3 2 m 34 cm		**4** 1 m 33 cm	
5 4 m 17 cm		**6** 1 m 25 cm	
7 3 m 23 cm		**8** 2 m 21 cm	
9 5 m 6 cm		**10** 2 m 23 cm	

11 1, 49   **12** 2, 15   **13** 3, 30

14 3, 25   **15** 3, 43   **16** 4, 21

17 4, 37   **18** 3, 33

4. 받아내림이 없는 길이의 차

1 2 m 53 cm	**2** 2 m 44 cm
3 1 m 33 cm	**4** 4 m 34 cm
5 1 m 40 cm	**6** 4 m 34 cm
7 2 m 49 cm	**8** 4 m 9 cm
9 1 m 42 cm	**10** 5 m 15 cm
11 2 m 21 cm	**12** 1 m 43 cm
13 2 m 20 cm	**14** 3 m 29 cm
15 2 m 29 cm	**16** 3 m 56 cm
17 3 m 33 cm	**18** 2 m 28 cm
19 3 m 31 cm	**20** 1 m 27 cm

4. 받아내림이 없는 길이의 차

1 2 m 53 cm	**2** 1 m 30 cm
3 3 m 45 cm	**4** 2 m 62 cm
5 2 m 12 cm	**6** 4 m 24 cm
7 5 m 27 cm	**8** 3 m 24 cm
9 1 m 42 cm	**10** 5 m 17 cm
11 3 m 10 cm	**12** 2 m 26 cm
13 7 m 17 cm	**14** 5 m 6 cm
15 2 m 33 cm	**16** 3 m 45 cm
17 2 m 28 cm	**18** 2 m 40 cm
19 5 m 35 cm	**20** 3 m 27 cm
21 2 m 32 cm	**22** 4 m 43 cm

생활 속 연산 1, 6

5. 받아내림이 있는 길이의 차

1 2 / 1, 80	**2** 3, 100 / 2, 80
3 3, 100 / 1, 82	**4** 4, 100 / 1, 65
5 5, 100 / 3, 82	**6** 5, 100 / 1, 28

7 1, 85   **8** 1, 68   **9** 3, 76

10 1, 85   **11** 2, 75   **12** 1, 68

13 2, 74   **14** 2, 78   **15** 4, 72

16 1, 70   **17** 6, 77   **18** 2, 76

19 3, 73   **20** 6, 47

DAY 17

5. 받아내림이 있는 길이의 차

1	1 m 60 cm	**2**	2 m 81 cm
3	1 m 81 cm	**4**	2 m 47 cm
5	1 m 85 cm	**6**	3 m 72 cm
7	1 m 73 cm	**8**	4 m 52 cm
9	1 m 76 cm	**10**	5 m 88 cm
11	1 m 63 cm	**12**	1 m 77 cm
13	2 m 70 cm	**14**	1 m 62 cm
15	2 m 71 cm	**16**	1 m 61 cm
17	4 m 59 cm	**18**	1 m 85 cm
19	3 m 32 cm	**20**	1 m 72 cm

DAY 18

5. 받아내림이 있는 길이의 차

1	1 m 75 cm	**2**	1 m 63 cm
3	35 cm	**4**	3 m 36 cm
5	1 m 83 cm	**6**	3 m 57 cm
7	2 m 52 cm	**8**	3 m 37 cm
9	2 m 88 cm	**10**	1 m 72 cm
11	1 m 30 cm	**12**	2 m 87 cm
13	3 m 54 cm	**14**	1 m 83 cm
15	2 m 61 cm	**16**	1 m 77 cm
17	4 m 62 cm	**18**	1 m 74 cm
19	4 m 27 cm	**20**	2 m 31 cm

DAY 19

5. 받아내림이 있는 길이의 차

1	1 m 63 cm	**2**	73 cm
3	2 m 69 cm	**4**	1 m 59 cm
5	2 m 68 cm	**6**	2 m 64 cm
7	2 m 59 cm	**8**	4 m 56 cm
9	2 m 47 cm	**10**	4 m 64 cm
11	2 m 57 cm	**12**	2 m 75 cm
13	3 m 58 cm	**14**	6 m 68 cm

15	2, 56	**16**	2, 88	**17**	3, 77
18	4, 55	**19**	4, 85	**20**	4, 67
21	4, 33	**22**	5, 72		

생활 속 연산 22, 95

DAY 20

마무리 연산

1	3 m 81 cm	**2**	7 m 80 cm
3	6 m 52 cm	**4**	6 m 54 cm
5	9 m 30 cm	**6**	7 m 45 cm
7	11 m 30 cm	**8**	11 m 1 cm
9	13 m 21 cm	**10**	17 m 17 cm
11	3 m 71 cm	**12**	4 m 91 cm
13	6 m 61 cm	**14**	9 m 80 cm
15	6 m 79 cm	**16**	8 m 60 cm
17	8 m 45 cm	**18**	7 m 38 cm
19	13 m 44 cm	**20**	10 m 10 cm
21	12 m 79 cm	**22**	12 m 23 cm
23	13 m 36 cm	**24**	16 m 29 cm

마무리 연산

1 2 m 22 cm	**2** 2 m 27 cm
3 4 m 27 cm	**4** 4 m 42 cm
5 1 m 55 cm	**6** 57 cm
7 6 m 27 cm	**8** 2 m 76 cm
9 5 m 5 cm	**10** 6 m 62 cm
11 2 m 31 cm	**12** 1 m 27 cm
13 3 m 22 cm	**14** 2 m 26 cm
15 1 m 18 cm	**16** 4 m 22 cm
17 1 m 77 cm	**18** 2 m 73 cm
19 3 m 74 cm	**20** 3 m 64 cm
21 2 m 57 cm	**22** 5 m 76 cm
23 6 m 77 cm	**24** 4 m 86 cm

4단계　시각과 시간

1. 시간과 분의 관계

1 60	**2** 70	
3 25 / 85	**4** 20 / 80	
5 60 / 105	**6** 60 / 110	
7 60 / 120	**8** 60 / 125	
9 65	**10** 75	**11** 95
12 100	**13** 130	**14** 145
15 160	**16** 170	**17** 215
18 220	**19** 240	**20** 265
21 300	**22** 335	

1. 시간과 분의 관계

1 72	**2** 83	**3** 97
4 100	**5** 104	**6** 111
7 130	**8** 142	**9** 154
10 176	**11** 185	**12** 199
13 224	**14** 250	**15** 67
16 76	**17** 94	**18** 115
19 129	**20** 148	**21** 152
22 168	**23** 195	**24** 204
25 220	**26** 277	

DAY 03

1. 시간과 분의 관계

1 l	**2** 10 / l, 10
3 20 / l, 20	**4** 30 / l, 30
5 60 / l, 45	**6** 60 / l, 50
7 60 / 2	**8** 10 / 2, 10

9 l, 25	**10** l, 35	**11** l, 40
12 l, 55	**13** 2, 15	**14** 2, 20
15 2, 45	**16** 2, 50	**17** 3, 15
18 3, 20	**19** 3, 35	**20** 3, 50
21 4, 10	**22** 4, 25	

DAY 04

1. 시간과 분의 관계

1 l, 5	**2** l, 12	**3** l, 29
4 l, 39	**5** l, 44	**6** l, 57
7 2, 5	**8** 2, 17	**9** 2, 31
10 2, 43	**11** 2, 59	**12** 3, 2
13 3, 17	**14** 3, 25	

15 l시간 l7분에 색칠

16 l시간 36분에 색칠

17 2시간 l4분에 색칠

18 2시간 39분에 색칠

19 3시간 55분에 색칠

20 4시간 l4분에 색칠

21 5시간 27분에 색칠

22 6시간 40분에 색칠

생활 속 연산 2, l2

DAY 05

2. 하루의 시간

1 24	**2** 24 / 30
3 24 / 34	**4** 24 / 39
5 20 / 44	**6** 24 / 48
7 5 / 53	**8** 24 / 60

9 33	**10** 36	**11** 50
12 55	**13** 63	**14** 76
15 82	**16** 93	**17** 96
18 l02	**19** l20	**20** l3l

DAY 06

2. 하루의 시간

1 29	**2** 32	**3** 37
4 43	**5** 49	**6** 54
7 63	**8** 69	**9** 75
10 81	**11** 97	**12** ll4
13 l30	**14** l44	**15** 26
16 40	**17** 35	**18** 46
19 50	**20** 52	**21** 57
22 64	**23** 73	**24** 78
25 84	**26** 93	

DAY 07
136~137쪽

2. 하루의 시간

1 1

2 3 / 1, 3

3 6 / 1, 6

4 11 / 1, 11

5 19 / 1, 19

6 24 / 2

7 2 / 2, 2

8 10 / 2, 10

9 1, 18

10 2, 5

11 2, 12

12 2, 23

13 3, 4

14 3, 8

15 3, 20

16 4, 4

17 4, 17

18 5

19 5, 8

20 5, 15

DAY 08
138~139쪽

2. 하루의 시간

1 1, 1

2 1, 7

3 1, 13

4 1, 16

5 2, 1

6 2, 5

7 2, 14

8 2, 22

9 3, 2

10 3, 12

11 3, 18

12 4, 10

13 4, 14

14 5, 12

15 ○

16 ×

17 ○

18 ×

19 ○

20 ○

21 ○

22 ×

23 ×

생활 속 연산 2, 12

DAY 09
140~141쪽

3. 1주일

1 7

2 3 / 10

3 5 / 12

4 7 / 14

5 1 / 15

6 3 / 17

7 5 / 19

8 7 / 21

9 8

10 11

11 13

12 16

13 18

14 20

15 23

16 25

17 29

18 33

19 37

20 40

21 45

22 47

DAY 10
142~143쪽

3. 1주일

1 9

2 12

3 15

4 17

5 24

6 26

7 28

8 31

9 36

10 38

11 42

12 46

13 51

14 54

15 10

16 12

17 14

18 16

19 20

20 22

21 24

22 30

23 33

24 40

25 50

26 56

DAY 11   144~145쪽
3. 1주일

1 1   **2** 2 / 1, 2

3 4 / 1, 4   **4** 7 / 2

5 1 / 2, 1   **6** 4 / 2, 4

7 6 / 2, 6   **8** 7 / 3

9 1, 1   **10** 1, 3   **11** 2, 2

12 2, 5   **13** 3, 1   **14** 3, 3

15 3, 6   **16** 4, 3   **17** 5

18 5, 5   **19** 6, 3   **20** 6, 6

21 7, 1   **22** 7, 4

DAY 12   146~147쪽
3. 1주일

1 1, 5   **2** 2, 2   **3** 2, 3

4 2, 6   **5** 3, 2   **6** 3, 4

7 4   **8** 4, 2   **9** 5, 2

10 5, 6   **11** 6, 4   **12** 7

13 7, 1   **14** 7, 5

15   **16**

17   **18**

DAY 13   148~149쪽
4. 1년

1 12   **2** 3 / 15

3 7 / 19   **4** 10 / 22

5 12 / 24   **6** 8 / 20

7 9 / 33   **8** 12 / 36

9 14   **10** 18   **11** 27

12 34   **13** 39   **14** 43

15 50   **16** 56   **17** 60

18 65   **19** 75   **20** 79

DAY 14   150~151쪽
4. 1년

1 22   **2** 27   **3** 31

4 33   **5** 37   **6** 44

7 55   **8** 59   **9** 62

10 66   **11** 69   **12** 72

13 76   **14** 82   **15** 23

16 25   **17** 29   **18** 34

19 38   **20** 42   **21** 50

22 56   **23** 61   **24** 68

25 77   **26** 86

DAY 15 152~153쪽

4. 1년

1 ㅣ	**2** ㅣ / ㅣ, ㅣ	
3 4 / ㅣ, 4	**4** 7 / ㅣ, 7	
5 8 / ㅣ, 8	**6** 12 / 2	
7 ㅣ / 2, ㅣ	**8** 8 / 2, 8	
9 ㅣ, 2	**10** ㅣ, 6	**11** 2, 3
12 2, 6	**13** 3	**14** 3, 9
15 4, ㅣ	**16** 4, 4	**17** 4, ㅣㅣ
18 5, 2	**19** 5, 7	**20** 6

DAY 16 154~155쪽

4. 1년

1 ㅣ, 5	**2** ㅣ, 9	**3** 2, 4
4 2, 9	**5** 3, 4	**6** 3, 10
7 4	**8** 4, 5	**9** 4, ㅣㅣ
10 5	**11** 5, 5	**12** 5, 10
13 6, 9	**14** 7	**15** 2, 3
16 2, 8	**17** 3, 3	**18** 3, 6
19 4, 5	**20** 4, 8	**21** 5, 2
22 6, 3		

생활 속 연산 5, 4

DAY 17 156~157쪽

마무리 연산

1 60	**2** ㅣ, 15	**3** ㅣ15
4 2, 27	**5** ㅣ32	**6** 3, 14
7 ㅣ65	**8** 3, 45	**9** 218
10 4, 42	**11** 291	**12** 5
13 318	**14** 5, 33	**15** 28
16 ㅣ	**17** 37	**18** ㅣ, 8
19 55	**20** 2, 20	**21** 73
22 3	**23** 86	**24** 3, ㅣ8
25 96	**26** 4, 4	**27** ㅣ04
28 5, 5		

DAY 18 158~159쪽

마무리 연산

1 7	**2** ㅣ, 2	**3** ㅣㅣ
4 2, 4	**5** ㅣ7	**6** 2, 6
7 27	**8** 3, 5	**9** 28
10 4, 2	**11** 32	**12** 5, 5
13 37	**14** 6	**15** ㅣ2
16 ㅣ, 5	**17** 27	**18** 2, 4
19 34	**20** 3	**21** 43
22 3, 4	**23** 50	**24** 4, 9
25 59	**26** 5, 6	**27** 63
28 6, 8		

MEMO

MEMO

힘이 붙는 수학

연산

초등 2B

힘이 붙는 수학
연산

 힘이 붙는 **수학** 연산